Anne Wiazemsky

Hymnes
à l'amour

Gallimard

Anne Wiazemsky s'est fait connaître comme comédienne dès sa dix-huitième année, tournant avec Bresson, Pasolini, Jean-Luc Godard, Marco Ferreri, Philippe Garrel avant d'aborder le théâtre (Fassbinder, Novarina) et la télévision. Elle a publié des nouvelles, *Des filles bien élevées* (Grand Prix de la nouvelle de la Société des Gens de Lettres, 1988), et des romans, *Mon beau navire* (1989), *Marimé* (1991), *Canines* (Prix Goncourt des lycéens, 1993) et *Hymnes à l'amour*, librement adapté au cinéma par Jean-Paul Civeyrac sous le titre *Toutes ces belles promesses*. Elle a reçu le Grand Prix de l'Académie française en 1998 pour *Une poignée de gens*. En 2001, paraît *Aux quatre coins du monde* et, en 2002, *Sept garçons*.

Pour Gérard

I

HYMNES À L'AMOUR

L'appartement de notre mère, près de la porte de Saint-Cloud, est devenu un capharnaüm sans vie qui dégage une tristesse poignante. Mon frère et moi nous employons à le vider de ses meubles, de ses livres, de tout ce que maman avait acquis au fil des années et de ce qui lui vient de ses parents : un précieux bric-à-brac qui a l'étrange pouvoir de raconter plusieurs générations, plusieurs vies. Nous sommes accablés par l'ampleur de la tâche et l'afflux de souvenirs que provoque le déplacement du bibelot le plus anodin ; par la tenace odeur des cigarettes que fumait notre mère, des Chesterfield longues dont elle croyait combattre la nocivité en utilisant des filtres jetables, qu'elle se gardait bien de jeter et qui s'éparpillent encore partout dans l'appartement. Cette odeur de toujours nous donne l'impression qu'elle est là, étendue sur le divan ou assise dans le fauteuil vert, contente de nous voir, bien sûr, mais aussi un peu pressée de se retrouver seule : maman raffolait des séries américaines de la télévision et rien ni personne n'aurait pu lui faire sauter un seul épisode de *Santa Barbara*. Pour avoir la paix, elle débranchait le téléphone.

Notre mère est morte brutalement, le 18 novembre 1992, d'un arrêt du cœur, dans la salle de bains. Personne n'aurait pu le prévoir. Elle venait de regagner son appartement et était ce matin-là d'excellente humeur. À l'inverse de notre père, mort vingt-huit ans auparavant, elle n'a pas souffert, comme on dit. J'espère qu'elle ne s'est rendu compte de rien. Pas même une fraction de seconde.

Ses placards remplis à ras bord n'en finissent pas de dégorger de la vaisselle ancienne, des vêtements, une multitude de papiers : photos de mon frère et moi enfants, d'elle-même petite fille regardant avec un mélange d'effroi et d'adoration son père, l'écrivain François Mauriac ; cartes de Noël ou de vacances achetées puis oubliées, souvenirs de voyage ; minuscules agendas Hermès où elle notait non pas ses rendez-vous — elle ne sortait guère — mais les progrès et les reculs de sa plus terrible ennemie, une dépression tenace qui remontait loin dans le temps et qui empoisonna les dernières années de sa vie.

D'un commun accord mon frère et moi remettons à plus tard le tri des papiers intimes. Nous les entassons en désordre dans de profonds cartons en nous promettant d'y revenir quand notre chagrin sera moins vif.

Mon frère, plus sentimental que pratique, s'attarde sur des photos et ralentit le travail par de fréquentes crises d'attendrissement : « Regarde comme j'étais mignon à cinq ans ! » Et comme j'opine distraitement : « Espèce de brute sans cœur ! Moi cet adorable petit garçon, il me fait fondre. Tu devrais fondre aussi ! » « Maman en première communiante ! Comme elle a l'air triste déjà ! Tout le monde sourit sauf elle. » « Oh ! comme tu étais mignonne toi aussi avec cette coiffe d'Indien sur la tête ! Et qu'est-ce que tu ressembles à ma fille ! T'es flattée, j'espère ? » Parfois il s'emballe : « Des rouleaux de photos qui n'ont jamais été développés ! C'est peut-être des trésors ! Je les embarque. » Ses commentaires volubiles donnent un peu de vie au triste appartement et y introduisent quelque chose qui m'évoque les jeux de notre enfance. Nous sommes très proches l'un de l'autre.

De l'autre côté de la fenêtre, quelques pigeons espèrent encore qu'on les nourrisse. Maman s'y employait malgré les protestations répétées des locataires de l'immeuble. Elle en chérissait un entre tous, un roux, presque apprivoisé et qui longtemps l'a attendue, perché sur la rambarde du petit balcon, patient, buté et vaguement interrogatif. En souvenir d'elle, j'ai continué à lui donner du riz. Mais je le faisais de façon irrégulière, machinalement et sans chercher à établir le contact. Le rouquin espaça de plus en plus ses visites pour finir par disparaître. J'en étais à scruter le ciel et à m'interroger à voix haute sur son sort, quand mon frère qui se taisait depuis un moment, absorbé par la lecture de documents, me coupa la parole.

— Laisse tomber ce pigeon et regarde ce que je viens de trouver.

Au son de sa voix, je le sens troublé.

— C'est le testament de papa. Tu savais qu'il en avait fait un ?

Je l'ignorais. Mon frère me le donne et replonge dans les profondeurs sans fin d'un autre carton. Je tiens un instant dans mes mains ce testament oublié, exhumé. Dès les premières lignes, j'ai les larmes aux yeux. Mais je ne veux pas pleurer devant mon frère.

— Je peux l'emporter chez moi pour le lire tranquillement ?

— Oui, oui. Qu'est-ce qu'on fait de toutes ces ordonnances ? On les jette ?

— On les jette.

— Et tous ces fume-cigarette dégueulasses ?

— On les jette aussi.

Mon frère est peiné.

— Non, ça je ne peux pas. Ça me rappelle trop maman. On se les partage ?

« Ceci est mon testament, écrit de ma main, moi Jean Wiazemsky, chef de mission au Venezuela du Comité intergouvernemental pour les migrations européennes, étant sain de corps et d'esprit... »

Il est particulièrement émouvant, le testament de notre père, rédigé le 28 novembre 1960 à Caracas, Venezuela, et revu le 25 avril 1961. On y retrouve un homme simple et bon, soucieux de n'oublier personne de ceux et celles qui furent ses compagnons de route : collègues de travail, parents, amis, amante.

Car s'il lègue tout — c'est-à-dire pas grand-chose à part un peu d'argent dans différents comptes en banque — à sa femme légitime, d'autres instructions, très détaillées, exigent qu'une série d'objets soient envoyés à « Mme Maud Jacquet, domiciliée 29, rue des Moises à Genève, Suisse ». Ces objets sont les suivants :

« Des boutons de manchettes en or qu'elle-même m'a donnés.

« Ma sacoche de voyage et son contenu.

« Un disque de ma discothèque par Édith Piaf intitulé *Hymne à l'amour*.

« La montre que j'ai habituellement au poignet (si elle ne disparaît pas avec moi).

« Tout ce qui, pris dans mon bureau, aura été pris, pour le lui remettre par M. Marmol.

« Une grande mèche de mes cheveux. »

Mon père insiste : « Je charge ma veuve de l'exécution de ces dispositions, je la prie de les respecter. » Et pour clore son testament, il y a ces deux derniers paragraphes qui me serrent le cœur :

« Je demande que mon corps, s'il est récupéré, soit enterré à côté de celui de mon père et de ma mère, au cimetière russe de Sainte-Geneviève-des-Bois.

« Je demande pardon à tous ceux que j'ai pu blesser ou offenser, en premier lieu ma femme et mes enfants. Mais je mourrai satisfait, car j'aurai aimé et aurai été aimé. »

Ces trois lignes touchent particulièrement Gérard, l'homme que j'aime, et qui découvre en même temps que moi le contenu du testament.

— C'est ce que je voudrais aussi écrire avant de mourir...

Nous demeurons un instant silencieux. Il me demande :

— Tu connaissais l'existence de cette femme ?

— Non.

— Tu crois que ta maman a respecté le vœu de son mari ?

— Non.

Ma mère n'est plus là pour m'approuver ou me contredire. Mais je suis certaine qu'elle n'a jamais cherché à contacter Maud Jacquet. Non par jalousie mesquine ou par conformisme, mais par fatigue, désintérêt, paresse profonde. Après lecture du testament, elle a dû le ranger dans un dossier et l'oublier. Au point de ne m'en jamais parler alors qu'elle n'hésitait pas à me raconter les amours de mon père et — si j'insistais, si elle me sentait attentive et complice — les siennes.

La montre de mon père est passée directement de son poignet au mien. Une grosse montre qui se remontait d'elle-même grâce au mouvement du corps et qui s'arrêta quelques heures avant que le cœur de mon père cesse de battre.

Je me souviens l'avoir détestée quand elle s'est, à mon contact, remise en route. Comme j'ai, dans un premier temps, détesté tout ce qui vivait alors que lui était mort pour toujours. Plus tard, elle a disparu lors d'un cambriolage.

Mon frère a eu la sacoche de voyage et l'a toujours. Mais notre mère, auparavant, l'avait vidée de son contenu. Il y range maintenant des souvenirs de notre père : lettres, photos, carnets de guerre, acte de naissance, certificat de naturalisation française où son prénom n'est plus Yvan mais Jean.

J'ignore tout du sort des boutons de manchettes et de l'*Hymne à l'amour*. Quant à ses cheveux, personne ne lui en a coupé la moindre mèche, de cela je suis certaine.

Des images du passé resurgissent soudain, tenaces, lancinantes, liées les unes aux autres par un même refrain.

Maman qui danse seule, le matin dans la grande maison de La Capite, en Suisse, une Chesterfield calée entre les lèvres, heureuse, insolente et si jeune en écoutant l'*Hymne à l'amour*.

Maman, un an après, brisée, à Caracas, au Venezuela, qui écoute jusqu'aux limites du supportable cette même chanson.

Maman toujours, quelque temps avant sa mort, qui me reparle de celui dont elle crut longtemps qu'il avait été son grand amour avant d'en rejeter le souvenir, froidement et définitivement. Mais qui me redit tout de même à propos de l'*Hymne à l'amour* : « C'était notre chanson. »

Moi-même petite fille puis adolescente qui croyait apprendre ma future vie de femme en écoutant Piaf.

Savait-elle, savions-nous, que c'était aussi la chanson de mon père et d'une inconnue ? Non, sûrement pas. Il n'a jamais, je crois, demandé en notre présence à écouter des chansons de Piaf. Il n'a jamais non plus manifesté d'émotion lorsque ma mère et moi mettions *La Vie en rose* ou l'*Hymne à l'amour.* Pourtant comme il devait être loin de nous dans ces moments-là... Et près d'elle, 29, rue des Moises à Genève.

« Je mourrai satisfait, car j'aurai aimé et aurai été aimé. »

Ces mots me brûlent et m'apaisent tout en même temps. Il me semble, aujourd'hui, que moi aussi je pourrais écrire ces lignes.

Le vendredi 11 octobre 1963, on interrompit les programmes habituels de la radio pour annoncer un flash spécial : Édith Piaf venait de mourir dans son domicile du 67, boulevard Lannes, à sept heures du matin. À peine quelques heures plus tard, c'était au tour de Jean Cocteau, un écrivain que j'admirais et que mon grand-père m'avait permis de rencontrer lors de l'admission à l'Académie française de René Clair.

Ces deux morts me bouleversaient particulièrement. Elles en anticipaient une autre, encore plus effroyable, mais annoncée celle-là, programmée pourrait-on dire.

Papa était à la maison et se mourait d'un cancer. Il maigrissait, s'affaiblissait, passait beaucoup de son temps allongé. Quand la souffrance devenait insoutenable, on lui administrait du palfium. La souffrance allait devenir de jour en jour plus insoutenable.

« Il n'y a aucun espoir, il en a pour six mois »,
avait déclaré à maman le chirurgien qui l'avait
opéré. C'était à Genève par une chaude et belle
matinée de juin.

Maman était accompagnée par son frère
Jean. Que se dirent-ils alors ? Qui décida
l'autre ? Je ne l'ai jamais su et peu importe.
Quand ils retournèrent au chevet de mon père,
leur décision était prise : ne pas lui dire la
vérité, jamais, à aucun moment. Lui mentir.
Entretenir son espoir jusqu'au bout. Ils
obtinrent l'accord complice de toute la famille
et de leurs amis.

Mon frère et moi étions encore considérés
comme des enfants et à ce titre, exclus du
complot. D'ailleurs l'année scolaire s'achevait,
les grandes vacances commençaient et maman
devait s'occuper de la « convalescence » de
notre père. Le mieux était de nous éloigner.

On nous expédia dans différentes maisons et
je m'émerveillais tout au long de l'été de la gentillesse avec laquelle, partout, on m'accueillait.

Jeanne et François Mauriac, mes grands-
parents, m'invitèrent de façon tout à fait inat-
tendue dans le chalet qu'ils avaient loué à
Megève. Nous y fîmes de paisibles promenades,
nous eûmes, mon grand-père et moi, nos premières grandes discussions, sérieuses, si
sérieuses : la Littérature, la Religion, le Bien, le
Mal, Dieu. J'étais grisée.

L'état de grâce se poursuivit quelques semaines plus tard, à Malagar.

À l'ombre de la vieille demeure familiale, au milieu des vignes ou le long du calvaire de Verdelais, j'avais le sentiment de vivre là mon plus beau mois de septembre. Je sortais en douceur de l'enfance et ce qui allait suivre cessait de m'effrayer. Comme si la sollicitude de François Mauriac, sa tendresse et l'intérêt qu'il disait porter « au jeune être » que j'étais me protégeaient. Bien sûr j'appréhendais encore un peu la rentrée des classes, le retour à Paris et la confrontation avec papa dont la convalescence semblait durer plus que prévu. Mais je me sentais armée d'un courage tout neuf et d'une ambition plus neuve encore : ne pas décevoir la confiance de mon grand-père. J'avais quinze ans.

Des cartes postales nous donnaient des nouvelles de mes parents. Après un mois de repos à la campagne, mon père disait reprendre des forces. Maman s'occupait de lui avec un dévouement qui faisait l'admiration de tous. Elle ne le quittait pas. Mon père en était très ému : lui et elle ne s'entendaient plus depuis des années, leurs rapports jusqu'à cette opération étaient au mieux indifférents, au pire d'une agressivité telle qu'il m'arrivait de souhaiter leur divorce. Ne vivaient-ils pas déjà en quelque sorte séparés depuis plus d'un an ? Mon père en Amérique du Sud, ma mère à Paris. Officiellement, c'était à cause de nos études, raison contre laquelle mon frère et moi ne cessions de nous élever. Nous avions été heureux, là-bas, à Caracas, au Colegio Francia, avec nos professeurs, de très jeunes prêtres qui nous emmenaient en excursion, jouaient au football et nous enseignaient avec ardeur le français, le latin, l'histoire, la géographie et les mathématiques ; avec nos camarades aux nationalités diverses mais qui avaient en commun une certaine nonchalance et une indifférence totale face aux échecs scolaires. Nous y aimions l'été douze mois sur douze, la saison des pluies, la piscine du Country-Club et les glaces Efe. Paris nous semblait triste, étriqué, humide et froid. Et puis nous détestions servir d'alibi à des parents qui ne s'aimaient plus. Il avait fallu cette opération à Genève pour ramener notre père en Europe.

Certaines cartes postales provenaient de Normandie, de la vallée de la Somme. Mes parents s'y promenaient en voiture et passaient leurs premières vacances en tête à tête. Ils vantaient leur bonheur, leur entente nouvelle si charmante. Ma mère parlait même d'un « deuxième voyage de noces ». Mon père confirmait : « Je bénis cette maladie qui m'a permis de redécouvrir ta mère. Elle est merveilleuse », m'écrivait-il. Je regardais avec hostilité et suspicion ces cartes postales sentimentales qui leur ressemblaient si peu. À vrai dire, je ne croyais pas à ce qu'elles racontaient. Mon frère, âgé de treize ans, partageait ma méfiance silencieusement, animalement. Mais comment aurions-nous pu imaginer ce qui se cachait derrière la comédie du bonheur conjugal ? « Votre père a beaucoup de courage », entendait-on souvent autour de nous. Cela aurait dû nous alerter.

Je me souviens du jour où il me fallut quitter Malagar ; des odeurs de terre mouillée qui montaient jusqu'au premier étage et de l'épaisse brume d'automne qui noyait le paysage derrière la fenêtre de la chambre de mon grand-père.

Il était encore couché, le plateau du petit déjeuner sur les genoux. Il me retenait auprès de lui avec des mots d'une exceptionnelle douceur. Je lui confiais mon chagrin de quitter Malagar. Il cherchait à me consoler de ce chagrin-là et de tous les autres chagrins à venir, ceux que la vie vous réserve fatalement à un moment ou à un autre. J'écoutais moins ce qu'il me disait que la musique de sa voix blessée, si tendre si intime. Je ne me méfiais pas.

À Paris, nos parents nous attendaient dans une gaieté un peu factice. Ils n'avaient pas l'air reposé de gens qui rentrent de vacances. Ils étaient fatigués, tendus et, malgré leurs efforts, vite agressifs l'un envers l'autre. Surtout mon père. Il regrettait ensuite ses mouvements d'humeur, demandait pardon, accusait cette convalescence qui n'en finissait pas, les douleurs qui reprenaient et dont il ignorait la cause.

Maman l'avait installé dans la salle à manger. Ma chambre se trouvait juste au-dessus. Le plancher était si mince qu'il m'arrivait de l'entendre gémir la nuit ou encore le jour, lorsqu'il se croyait seul dans l'appartement. Et plus tard crier quand les souffrances devinrent telles que le palfium même ne suffisait plus à le calmer.

Cette année-là, on m'avait sur ma demande retirée d'un cours privé médiocre et inscrite au collège Sainte-Marie, réputé pour la qualité de son enseignement et son taux élevé de réussite au baccalauréat. Cette rentrée des classes m'accaparait beaucoup. Toute mon énergie passait dans l'effort d'adaptation à ce nouveau lieu, à ces nouvelles têtes. Je ne compris pas la gravité de la maladie de mon père.

Aujourd'hui encore, tant d'années après, je ressens toujours les ondes du choc provoqué par l'annonce de sa mort.

Ma mère avait frappé à la porte de ma chambre. J'y faisais mes devoirs en écoutant des chansons à la radio. Rien de plus banal que cette fin d'après-midi pluvieuse d'octobre. Même sa visite s'inscrivait dans ce morne programme. Les jours précédents, déjà, elle m'avait reproché mon manque de patience à l'égard de mon père. Je n'étais pas « assez gentille », pas « assez compréhensive ». Cette fois encore, je l'écoutais d'une oreille agacée, en lui tournant le dos, faussement concentrée sur mon dictionnaire de latin. Elle dirait ce qu'elle avait à dire et puis elle s'en irait. Comme d'habitude.

Elle ne s'en alla pas.

Elle parla longtemps, d'une voix étouffée, de manière que personne d'autre que moi ne l'entende. Ni mon frère qui faisait ses devoirs, lui aussi, dans la chambre contiguë à la mienne. Ni mon père, en dessous, qui venait d'allumer la télévision.

Elle ne me cacha rien, ne me laissa aucun espoir. Parfois elle s'interrompait, submergée par le chagrin et les remords. Ses larmes coulaient. Elle me demandait pardon. Pardon de se confier ainsi à moi. Pardon de me réclamer de l'aide. Pardon de m'obliger dorénavant à mentir. Mon père devait croire jusqu'au bout qu'il allait guérir. Quant à mon frère, il fallait le maintenir à l'écart de cette tragédie, le protéger, l'épargner.

Quand elle quitta ma chambre, quand la porte sur elle se referma, je restai hébétée, à contempler ce décor si familier et qui venait de cesser de l'être. Je ne reconnaissais plus rien de ce qui avait fait ma vie jusque-là. Ni les livres dans la bibliothèque, ni les photos de Gérard Philipe sur le mur, ni le lit, ni le bureau, ni les vieilles peluches, ni les toits de Paris derrière les carreaux de la fenêtre.

Maintenant que « je savais », on m'accueillait partout de la même façon. C'étaient des demi-sourires désolés, des hochements de tête douloureux et ces quelques mots, toujours laissés en suspens : « Ma pauvre fille... » ou sa variante : « Ton pauvre père... »

Mais tout à coup les visages se crispaient dans une tentative de bonne humeur ; les voix redevenaient toniques : mon père était en train de se lever. On l'entendait quitter le lit, puis se déplacer précautionneusement de la salle à manger à la chambre de maman. Quelqu'un se précipitait pour l'aider : « Ne vous fatiguez pas. » Quelqu'un d'autre aussitôt ajoutait : « Vous avez meilleure mine mon cher Wia. Si, si... » Mon père dans un pauvre sourire tentait vaillamment de leur donner raison.

Où se réfugier ? Auprès de qui ?

Manoue, ma cousine bien-aimée, mes amis

Thierry, Olivier et Jérôme, ne pouvaient plus rien pour moi. Ils ne savaient que me regarder d'un air apitoyé. Je devinais leur désir de s'en aller, leur besoin vital de retrouver d'autres jeux, d'autres camarades.

Avec quelle hâte coupable et pataude, ils enfilaient leur manteau, prenaient congé de mes parents et m'embrassaient ensuite sur le palier. « Je te téléphone bientôt », lançaient-ils en claquant sur eux la porte de l'ascenseur. Mais je ne leur en voulais pas. Je me sentais maintenant si loin d'eux et de leurs pré-occupations normales d'adolescents normaux. J'étais passée sur une autre planète. Celle des adultes.

L'appartement de ma mère communiquait avec celui de mes grands-parents. Une dizaine de marches, une double porte et un bout de couloir conduisaient au bureau de mon grand-père.

Cette pièce devint très vite un refuge. Mon grand-père toujours m'y accueillait, toujours il sut trouver de quoi m'aider à faire face. Pas pour longtemps, bien sûr, pour quelques heures, une soirée. C'était beaucoup. Ne vivions-nous pas à cette époque au jour le jour ?

Lui, ne souriait pas d'un air désolé mais fran-chement, avec malice souvent. Pour me distraire il évoquait ce que serait ma future vie d'adulte qu'il prédisait passionnante. Aussi brillante que la sienne. Dès que j'étais en mesure de me projeter dans l'avenir, d'émettre un souhait, si farfelu fût-il, il l'approuvait.

Je désirais écrire ? Formidable ! Des romans ? Non seulement j'étais sa petite-fille mais j'avais du sang russe dans les veines comme Tolstoï et Dostoïevski, « les plus grands romanciers du monde », un sacré atout ! Pour le théâtre ? Ouille ! Lui s'y était cassé les dents et me prônait la prudence. Je préférais devenir actrice ? Quel beau métier ! Pas facile, dangereux mais qui méritait qu'on y consacre sa vie ! J'aurais déclenché le même enthousiasme en annonçant pianiste de jazz, marin-pêcheur, vétérinaire ou exploratrice. Et dans ces moments-là, je renouais avec l'idée d'un futur. Si lui y croyait...

Je lui en serai pour toujours reconnaissante.

Mais sitôt passé le seuil de son bureau, sitôt franchis les quelques mètres qui séparaient les deux appartements, il n'y avait plus de refuge possible.

Même la lecture ne parvenait pas à me détourner de ma peine. Mais était-ce cela que je cherchais ? Cet oubli total de soi et du monde que procurent les livres ? Oui et non. Je m'interdisais de m'évader trop loin de mon père, de sa souffrance. Il fallait que je reste auprès de lui, physiquement et en pensée, quitte à me rendre malade à mon tour, quitte à ce que nous nous heurtions.

À l'inverse de mon grand-père, son regard sur moi manquait d'indulgence. Il ne me reconnaissait plus dans la jeune fille que j'étais en train de devenir. Il n'en discernait que les maladresses du corps, le flou du visage, les erreurs vestimentaires. Je n'avais rien de cette séduction féminine dont il raffolait. Il aimait les femmes joyeuses, simples et tendres, aux formes pleines et au corps épanoui. J'étais très loin du compte.

Parfois son regard s'adoucissait. Il souriait timidement et d'une voix hésitante évoquait le plaisir qu'il aurait « à sortir » avec moi plus tard quand il serait guéri et que je serai devenue une belle jeune fille. Les hommes alors se retourneraient sur notre passage, sans savoir si nous étions amants ou père et fille, envieux de notre couple. Nous nous amuserions alors de leur confusion comme il s'amusait, lui, maintenant : ces images idéales l'entraînaient loin de l'homme malade, de l'adolescente triste et de l'hiver lugubre dans lequel nous étions entrés. Mais une douleur subite, la voix inquiète de ma mère : « Wia ? Tu n'as besoin de rien ? Tu veux quelque chose ? » ou mon sourire crispé avaient vite fait de le ramener à la réalité. « Va dans ta chambre... Je suis fatigué... Je dois m'allonger », tranchait-il avec rudesse.

Si le jour baissait, je tirais les lourds rideaux

de velours rouge et bleu et allumais toutes les lampes. « Non, pas le plafonnier, se plaignait-il, la lumière est trop forte et me fait mal aux yeux. »

Dans ma chambre, donc. Travailler m'était difficile et je repoussais le plus longtemps possible le moment de m'y mettre. Je m'abrutissais en écoutant jusqu'à l'écœurement les chansons yé-yé à la mode en 1963 que l'émission quotidienne *Salut les copains* diffusait au milieu de l'après-midi. J'y puisais ma dose de refrains bébêtes, optimistes et sentimentaux qu'aussitôt après je dénigrais : ces chansons-là ne reflétaient rien de réel, ces chansons-là mentaient.

Alors j'éteignais le transistor et me tournais vers le Teppaz posé sur le tapis au milieu de mes disques préférés. Gilbert Bécaud, Charles Aznavour, Marcel Amont, les Compagnons de la chanson et Édith Piaf constituaient l'essentiel de ma collection.

Mais depuis mon retour de Malagar, j'écoutais surtout Édith Piaf.

Au début sans même m'en rendre compte, comme une sorte d'antidote à l'environnement yé-yé, puis comme un écho, le plus juste, le plus sensible, à mon malheur. L'écouter me procurait un sentiment ambigu de réconfort. Tout ce que j'éprouvais, je croyais le retrouver dans les thèmes et les paroles de ces chansons. Avec Piaf, j'étais au cœur de l'amour et du chagrin. Au cœur du monde.

Enfant, déjà, sa voix me bouleversait. Ce dont elle parlait, que je ne comprenais pas toujours, m'intriguait, me troublait. J'aimais ces histoires où il était question de ports lointains, de bateaux qui partent, de filles abandonnées, d'amants malheureux et de clown devenu fou.

Avec *La Goualante du pauvre Jean*, *L'Accordéoniste*, *La Vie en rose* et l'*Hymne à l'amour*, j'apprenais sur le tas et en vrac que les histoires d'amour finissent souvent mal, que la mort sépare parfois les amants mais que « sans amour on est rien du tout ». L'amour était dangereux mais noble. Il donnait sens à la vie, rehaussait ce qui était médiocre et méritait donc qu'on s'y brûle. Je pardonnais d'avance à tous ceux qui aiment, fût-ce en dehors des lois et du mariage.

À commencer par mes parents.

J'ai sept ans.

Ma mère est gracieusement penchée sur son accordéon. Elle a croisé ses jambes nues, hâlées par les premiers rayons du soleil. Elle porte un short noir et un chemisier blanc dont elle a roulé les manches au-dessus des coudes.

Ses doigts, d'abord hésitants, pianotent maintenant avec vigueur. L'accordéon se déploie et se contracte au gré de son inspiration. Coincée entre ses lèvres, une cigarette achève de se consumer. Elle est assise sur un banc de jardin, adossée au mur de la maison.

Devant elle, une prairie descend en pente douce jusqu'aux rives du lac. Les peupliers au bord de l'eau bruissent imperceptiblement. Au loin la chaîne des montagnes nous protège d'on ne sait quels dangers. Tout est vert et bleu, tout est paisible ; nous sommes en Suisse où mon père travaille pour le compte d'un organisme international dont le siège est à Genève. La maison qu'il a louée pour sa famille se trouve dans un lieu-dit, La Belotte, à cinq kilomètres de la ville.

Maman vient de jeter le mégot de sa cigarette sur le gravier et son pied droit tâtonne pour l'éteindre. Quelques accords, quelques *la la la la la* quand la mémoire lui fait défaut, puis elle pose l'accordéon pour allumer une nouvelle cigarette qu'elle fume lentement, perdue dans une mystérieuse et tenace rêverie. Son regard, un court instant, se pose sur nous, ses enfants.

Mon petit frère, accroupi dans l'herbe, observe les manœuvres d'une colonne de fourmis. Il peut rester des heures ainsi immobile à se raconter une histoire dont il lui rapportera l'essentiel, plus tard, quand elle en aura fini avec l'accordéon. Pour l'instant, c'est inutile de lui parler, il ne répondrait pas.

Les doigts de ma mère courent sur les boutons de nacre. Des accords hésitent, se répètent et s'affirment. Elle chantonne, de nouveau tendrement penchée sur son accordéon.

> *Quand il me prend dans ses bras*
> *qu'il me parle tout bas*
> *je vois la vie en rose.*
> *Il me dit des mots d'amour*
> *des mots de tous les jours*
> *et ça m'fait quelque chose*

Une porte s'est ouverte sans bruit. Madeleine, la jeune femme qui s'occupe de la maison et que mon frère et moi adorons, s'est glissée dans le jardin. Elle ne peut résister aux sons de l'accordéon. Elle écoute, émerveillée, comme s'il s'agissait là d'une musique céleste.

Sans cesser de jouer, sans relever la tête, maman demande soudain :

— À quoi tu penses quand tu me regardes comme ça ?

C'est à moi que cette question s'adresse et ce n'est pas la première fois qu'elle me la pose. Mais elle n'écoute pas mon timide « je sais pas ». Elle est de nouveau toute à sa chanson.

> *Il est entré dans mon cœur*
> *une part de bonheur*
> *dont je connais la cause*

Je la contemple, si belle, si lointaine, j'écoute la musique qu'elle joue, les paroles qu'elle récite, appliquée, presque scolaire, et j'ai le cœur serré. Si serré que j'ignore si c'est de joie ou de tristesse.

J'ai huit ans.

Nous avons déménagé à La Capite, un village situé cinq kilomètres au-dessus de La Belotte. La vue sur le lac et les montagnes y est de l'avis de tous « magnifique ». Il s'en dégage une impression d'immensité à la fois apaisante et tonique.

La nouvelle maison, plus confortable, plus vaste, est dotée d'un grand jardin plein d'arbres fruitiers. Maman a sa rocaille qu'elle entretient avec amour et où voisinent dans l'harmonie cactus, rosiers et fleurs des champs. Elle y passe une partie de la matinée, sarclant, bêchant, les mains protégées par de gros gants en peau. Parfois elle fait semblant de demander notre avis et nous nous empressons de l'approuver : quoi qu'elle fasse, nous trouvons ça beau.

Moi, j'ai *mon* cerisier avec *mon* trapèze. Je m'exerce à diverses acrobaties sous l'œil méfiant de mon petit frère, plus peureux, plus délicat et qui trouve toujours mes jeux trop brutaux pour lui.

J'adore aussi faire le cochon pendu. Je peux tenir très longtemps la tête en bas, les jambes croisées sur la barre, à découvrir un monde à l'envers. Comme à cette époque-là je saigne souvent du nez, la position du cochon pendu me paraît idéale. Je regarde mon sang s'écouler goutte à goutte dans l'herbe verte tandis que mon frère s'enfuit en criant que je lui donne mal au cœur et que je suis « dégoûtante, dégoûtante, dégoûtante... ».

Malheureusement, Madeleine ne nous a pas suivis. Malgré le gros chagrin que me cause son absence, je finis par me consoler. Il est vrai que la vie à La Capite est beaucoup plus joyeuse qu'à La Belotte.

Des amis de mes parents viennent le samedi et il s'organise sur la prairie de bruyantes parties de volley-ball. Si le temps le permet, un piquenique s'ensuit. Les adultes boivent et mangent éparpillés dans l'herbe, heureux de se retrouver en bande, prêts à rire et à s'amuser de n'importe quoi.

Mon père joue à donner la becquée à une blonde et belle jeune femme qu'il contemple tendrement et qui se dérobe. Ma mère met des disques et feint de ne pas savoir quel homme choisir parmi les trois ou quatre qui se lèvent pour la faire danser. Pablo, un Espagnol aux yeux caressants, a comme souvent sa préférence et nous l'entendons rire très fort aux propos qu'elle lui tient. Des rythmes sud-américains se succèdent. Maman s'échappe pour changer de disque. La voix de Piaf s'élève.

> *J'irai décrocher la lune*
> *j'irai voler la fortune*
> *si tu me le demandais.*
> *Je renierai ma patrie*
> *je renierai mes amis*
> *si tu me le demandais*

Les adultes reprennent en chœur les paroles de la chanson. Les femmes deviennent plus sentimentales, les hommes ont des airs protecteurs. L'atmosphère se charge de quelque chose que je ne saurais définir, qui n'a rien à voir avec le volley-ball et qui nous tient mon frère et moi, pareillement cois et fascinés. Notre poste d'observation favori est le haut de l'escalier qui part du vestibule et monte au premier étage. De là nous avons vue sur une grande partie du rez-de-chaussée et les abords immédiats de la maison. Seul le jardin, complètement noir, échappe à notre surveillance. Mais sur le lac, au loin, les ferries illuminés glissent sur l'eau comme glissent devant nous les couples enlacés que la nuit étourdit.

Tant que l'amour inondera mes matins
tant que mon corps frémira sous tes mains
que m'importent les problèmes
mon amour puisque tu m'aimes

Il me semble que maman remet de plus en plus souvent le disque de Piaf ; que cela soulève ici et là des protestations amusées. Il me semble que loin de se laisser convaincre, maman persévère. Par jeu ? Par provocation ? « Parce qu'elle aime cette chanson », ai-je décidé pour en finir avec toutes les questions que je me pose, une fois de plus, à son sujet. Et de conclure non sans fierté : « comme moi ».

Car les paroles de l'*Hymne à l'amour* s'imprègnent dans ma tête, mon cœur, mon corps. Le « nous » que chante Piaf dégage une force extraordinaire.

Nous aurons pour nous l'éternité
dans le bleu de toute l'immensité

À ce moment-là de ma vie, j'ignore encore ce que signifie la mort. « Nous » est à l'abri de tous les dangers, invincible. Quant au « tu », si familier, si intime, il m'apparaît comme l'expression même de l'amour et j'en frissonne d'émotion.

Mes premières perceptions de l'amour, je les dois donc aux chansons en général et à celle-là en particulier. À ma chère Madeleine. Aux rires des adultes dans le jardin au fur et à mesure qu'on avance dans la nuit. À cette expression de défi qui durcit soudain le visage de ma mère.

Et à cette grande femme blonde, Vivianne, qui danse dans les bras de mon père au milieu du salon, avec des mines de jeune animal heureux.

Vivianne est de toutes les fêtes. C'est la secrétaire de mon père, elle le côtoie tous les jours au bureau et le suit souvent dans ses déplacements. Je me demande si elle n'est pas aussi sa maîtresse. Mais j'ai huit ans et faute de vocabulaire j'utilise les mots « amoureuse » ou « petite amie ». Avec une préférence pour « amoureuse » qui sonne mieux. Vivianne m'inspire beaucoup de sympathie. Elle est d'ailleurs très affectueuse avec mon frère et moi, allant jusqu'à nous offrir toutes les glaces que nous lui réclamons lors d'agréables promenades autour du lac. Physiquement elle est si différente de maman qu'il ne nous viendrait pas à l'idée de les opposer. Notre mère est brune, mince, très élégante. Vivianne blonde, ronde, pulpeuse, gentiment proche des pin-up américaines entrevues dans les magazines.

Parfois, prise d'audace, je questionne maman. Vivianne est-elle oui ou non l'amoureuse de papa ? Maman répond distraitement. Non pas qu'elle cherche à me dissimuler les frasques de son mari. Mais elle aime ailleurs, elle aussi, et ça, elle s'emploie à ce que nous l'ignorions. Alors ce que fait mon père avec d'autres femmes... Le pluriel vient de lui échapper et me choque. Maman a un geste las de la main, une moue amère et ces obscures paroles : « Il y a longtemps que je suis fixée à son sujet. » Et elle prend sa voiture et s'en va à Genève. Elle disparaît souvent l'après-midi. À mes questions inquiètes, elle donne toujours une seule réponse : « Je vais faire des courses au Grand Passage. »

Un an après nous quittons la Suisse pour le Venezuela où mon père vient d'être nommé. Pour lui c'est une importante promotion, pour mon frère et moi une palpitante aventure digne des bandes dessinées dont nous raffolons. Caracas, c'est la piscine toute l'année, une scolarité farfelue, la télévision avec cinq chaînes que nos parents, préoccupés par leurs problèmes d'adultes, nous laissent regarder à notre guise. C'est aussi des révolutions avec coups d'État, couvre-feu et fusillades dans les rues. Durant ces heures-là, on nous cantonne à la maison. Mon frère et moi faisons du patin à roulettes sur le toit en suivant avec passion les combats que se livrent dans notre quartier des hommes en tenue militaire. Nous ne savons pas qui est qui et pourquoi ils se battent, mais c'est sans importance. Maman nous hurle de descendre illico nous abriter dans le salon. Elle nous parle de « balles perdues ».

Cette vie est si amusante que nous ne nous rendons pas compte à quel point notre mère est malheureuse. Elle déteste le petit monde très fermé des ambassades. Elle le méprise, refuse obstinément de s'y faire des amis. Que mon père, à l'inverse, s'y plaise et s'y amuse ne fait que l'exaspérer davantage. Maman prend tout en horreur : les parties de bridge, les cocktails, les dîners, les sorties en groupe à l'intérieur du pays. Alors elle s'invente des excuses et souffre de migraines de plus en plus fréquentes. À cela s'ajoutent de douloureuses crises de foie qui la retiennent au lit quarante-huit heures, volets fermés et rideaux tirés. Ces jours-là, mon frère et moi marchons sur la pointe des pieds et parlons à voix basse. Les dîners dans la cuisine avec notre père sont silencieux et tendus. Il est distrait, irritable et peut-être intimidé par ce tête-à-tête avec ses enfants. Il a pris l'habitude de se confectionner des martini-gin. Il en boit plusieurs de suite et m'explique avec une bonne humeur soudain retrouvée ce que signifie le mot « cocktail ».

En fait, maman travaille en secret à son évasion, à notre retour en Europe. Quelqu'un l'aide dans l'ombre qui a le pouvoir de déplacer mon père dans un pays plus voisin de la France : l'homme qu'elle aime. C'est parce qu'elle voulait mettre fin à cette liaison qu'elle a suivi son mari à Caracas.

« Je n'étais pas douée pour l'amour », me dira-t-elle bien plus tard, à un âge où ses souvenirs lui étaient devenus si dérisoires qu'elle ne les évoquait plus qu'avec mépris.

Elle est surtout inquiète, terrifiée par la passion que lui inspire cet homme, marié, grand amateur de femmes, et dont elle redoute qu'il ne la quitte pour une autre plus jeune ou plus jolie. Mais loin de lui et confrontée à cette vie qu'elle abhorre, ses peurs s'estompent. S'échapper, elle n'a que ça en tête.

L'homme aimé, en Suisse, s'agite tant et si bien qu'elle se rassure, compte les semaines. Entre eux plusieurs dates sont avancées. Mais la réussite de cette opération dépend d'un accord officiel qui doit provenir du plus haut de la hiérarchie. Il lui faut patienter encore. Elle s'irrite, multiplie les migraines. Mon père ne voit rien, ne soupçonne rien. C'est un homme simple, plutôt naïf, qui a toujours considéré sa femme comme un être charmant mais excentrique et incompréhensible. Il lui est d'ailleurs très sincèrement attaché.

Enfin la lettre tant attendue arrive. « Ton mari risque d'être muté dans deux mois. » Le paragraphe suivant la ressuscite : « Je serai à Caracas la semaine prochaine pour trois jours. Tiens bon. »

Tout à coup il est là ce petit homme brun, autoritaire et charmeur dont le prénom est

Jean-François mais que tout le monde appelle familièrement J.-F. Moi, je l'ai surnommé Napoléon car je lui trouve une ressemblance avec l'empereur.

Mes parents, en son honneur, organisent de brillantes réceptions à la maison. Maman est très belle, d'une fébrilité qui étonne un peu mon père mais qui ne lui fait pas se poser davantage de questions. Il admire J.-F. et le considère comme un de ses plus chers amis. Il est fier de sa présence chez lui, fier de la beauté retrouvée de sa femme. Il souffle sur notre maison une gaieté qui rappelle les beaux jours de La Capite.

« J.-F. a très bien compris pourquoi je ne pouvais vivre plus longtemps à Caracas, m'expliquera ma mère bien des années plus tard. Il a même décidé d'écourter son séjour à l'étranger pour rentrer à Genève et régler cette histoire au plus vite. Depuis qu'il m'avait revue, c'était devenu urgent, notre rapatriement en Europe... » Elle se tait. Elle et moi connaissons si bien la suite.

Car ma mère ne réussira jamais son évasion.

J.-F. a bien atterri à Cointrin, l'aéroport de Genève. Il semble qu'il ait voulu passer chez lui se changer et embrasser sa famille avant de se rendre au siège central de l'Organisation.

Il était pressé et comme toujours roulait trop vite. Sur la route d'Évian, à la hauteur du chemin de Ruth, il a fait une brutale embardée pour éviter un camion. Sa voiture a dérapé, heurté un petit parapet et s'est trouvée propulsée dans le lac. À ses côtés se trouvait Pablo, l'Espagnol avec qui maman aimait tant danser et qui était venu accueillir J.-F. à sa descente d'avion. Les secours arrivèrent trop tard et tous deux périrent noyés.

J'ai vu ma mère se briser.

Je l'ai entendue hurler, sangloter, maudire la terre entière, appeler la mort au secours.

Pendant des jours je suis restée collée à elle, comme un animal, mon souffle suspendu au sien, à écouter les battements fous de son cœur, certaine que si je lâchais sa main, elle allait mourir à son tour. Les mots sortaient en désordre de sa bouche mais tout y passait : son amour détruit, sa vie à jamais perdue, mon père incapable de la comprendre et qui pleurait lui aussi son ami disparu.

« Comme tu es bonne de participer ainsi à mon chagrin », lui a-t-il dit un soir, à l'heure du dîner, alors qu'elle s'efforçait de réprimer ses sanglots. Son mépris alors, silencieux, insultant, définitif, ramassé dans l'éclat des yeux noirs, dans la grimace de la bouche.

Au cours de la journée, elle écoute plusieurs fois de suite l'*Hymne à l'amour*.

La voix d'Édith Piaf envahit toute la maison. En rentrant de l'école, je l'entends qui lutte avec les klaxons des voitures et les cris aigus des petits vendeurs de mangues.

Maman, pendant des mois, fréquente assidûment l'église du Colegio Francia. Je l'y accompagne souvent puisque je me suis donné pour mission de veiller sur elle. Sa ferveur religieuse me fascine. Retrouvait-elle dans la prière l'écho des paroles de la chanson : « Dieu réunit ceux qui s'aiment » ?

Un jour elle cessa de se rendre à l'église et on n'entendit plus l'*Hymne à l'amour*.

Mais des années plus tard, alors que je la questionnais sur cette période de sa vie — la plus noire, celle qui la laissa pour toujours gravement meurtrie — elle me reparla de l'*Hymne à l'amour*.

Plusieurs mois s'étaient écoulés depuis la mort de son amant. Ma mère se remettait mal. Mon père, qui prenait pour une neurasthénie mauriacienne ce qui était du désespoir, décida de l'emmener le temps d'un week-end à Valparaiso. Il voulait la distraire, lui changer les idées. Ma mère le laissa faire. Ici ou ailleurs, avec ou sans lui, rien ne comptait, tout se valait. Ils partirent.

Le soir, dans la salle de bains du luxueux

hôtel où ils étaient descendus, elle mit un soin particulier à sa toilette. Se faire belle était sa façon de remercier ce mari qu'elle n'aimait plus mais qui, maladroitement, généreusement, tentait de l'aider. Elle joua le jeu et descendit, altière, les marches de l'escalier qui menait au bar où il l'attendait.

Dans la pénombre, un pianiste s'exerçait en sourdine à quelques accords.

Ma mère était arrivée au bas de l'escalier quand le musicien attaqua l'*Hymne à l'amour*. Elle chancela, manqua s'évanouir et il fallut qu'on l'aide à regagner la table de mon père.

« J'étais si troublée, si désespérée, que je me demande si ton père, à ce moment-là, ne s'est pas douté de quelque chose. Je t'assure, il avait l'air bizarre », me dit-elle un bref instant intéressée par cette hypothèse. Pour ajouter aussitôt : « Mais tout de même, fuir au Chili, jusqu'à Valparaiso et se faire rattraper par l'*Hymne à l'amour* ! » Et sur un autre ton, plus doux, plus étouffé et comme pour s'excuser : « C'était notre chanson à J.-F. et à moi... »

Elle ignorait alors, toute à son chagrin et à son dégoût de vivre, que c'était aussi la chanson de son mari. Il venait de tomber éperdument amoureux d'une jeune femme suisse mariée à un Américain et qui figurera plus tard en bonne place sur son testament. Peut-être est-ce lui qui avait demandé au pianiste de jouer l'*Hymne à l'amour* tandis qu'il buvait un martini-gin, leur cocktail préféré ? Pour mieux penser à elle, Maud Jacquet, 29, rue des Moises à Genève.

En octobre 1963, c'était à mon tour d'écouter Piaf. Le monde tragique dans lequel je venais d'entrer, elle me le restituait sans masque et mensonges. Alors que tout à la maison était devenu tromperies et comédies hypocrites.

Quelqu'un de la famille, parfois, poussait la porte de ma chambre.

— Tu n'as rien de moins sinistre à écouter ? Dans le genre cafardeux, difficile de trouver mieux...

Je faisais le gros dos. On insistait :

— La vie n'est pas aussi moche que ça ! Trouve-toi quelque chose de plus gai ! Distrais-toi !

Comme si c'était possible.

> *Non ! rien de rien*
> *Non ! je ne regrette rien*
> *Ni le bien qu'on m'a fait*

Ni le mal
Tout ça m'est bien égal

Ce cri retentissait en moi. Dans les pires moments, ceux où l'on cesse tout simplement de vouloir vivre, il provoquait une sorte de secousse salutaire. Elle me faisait du bien, Piaf. Il y avait en elle une formidable et contagieuse volonté de vivre. Malgré ses malheurs et sa santé qui se détériorait de façon alarmante.

Des journaux comme *France Dimanche* et *Ici Paris* faisaient recette avec ses séjours en clinique, ses pseudo-guérisons et ses rechutes. Des photos d'elle, terribles, accrochaient l'œil à l'étalage des kiosques. Quand je les voyais, je m'empressais de les oublier. Je ne voulais rien savoir de sa maladie et de sa mort éventuelle.

Impossible, par contre, d'ignorer son mariage avec Théo Sarapo le 9 octobre 1962. On en parlait partout. À la radio, à la télévision, au collège, dans le métro, chez moi. Chacun avait son mot à dire, toujours désagréable. Au mieux on se gaussait, au pire on la condamnait. Des jugements sans appel dont la férocité me choquait.

Moi, j'étais avec acharnement de son côté : le côté des gens qui aiment. Et si j'y mettais une pointe de défi, c'était malgré moi : je respectais avant tout ce que j'avais appris dans les chansons et en regardant mes parents. J'avais fait mien le refrain de *La Goualante du pauvre Jean* : « Sans amour on n'est rien du tout. » Pour l'instant je n'étais rien du tout. Mais ça changerait un jour, semblaient me promettre l'*Hymne à l'amour* et *La Vie en rose*.

— Qu'est-ce qu'elle a à se passer tout le temps du Piaf ? protestait mon père.

Lui, il avait d'autres plaisirs.

Lors d'une de ses dernières sorties, il avait acheté plusieurs disques de Robert Lamoureux.

Il les écoutait seul ou avec ses enfants et riait comme un gamin à tous les gags de *Papa, maman, la bonne et moi*. Un rire franc, éclatant, et qui se cherchait des complices. Mon frère heureusement partageait son hilarité, de bon cœur, sans arrière-pensée.

Comme il voulait vivre, notre père ! Comme il s'appliquait ! Je le regardais nier un nouveau malaise, se réjouir d'un fugitif mieux-être. Le plus souvent il taisait ses inquiétudes et se raccrochait, confiant, docile, aux paroles rassurantes de ma mère ; à la bonne humeur feinte de ses belles cousines Tatiana et Missie avec qui il s'était embarqué enfant, en 1919, sur le navire anglais *Princess Ena*, pour s'exiler en Europe, tournant ainsi le dos à leur Russie natale ; aux encouragements de ses amis de Genève et Caracas qui lui rendaient visite lors de brefs passages à Paris. Comment faisait-il pour se réjouir naïvement de leurs paroles ? Pour ne pas voir ce qui se dissimulait derrière les phrases convenues, les accolades exagérément affectueuses ? Pour ne pas juger suspecte cette chaîne d'amitié qui se tissait soudain autour de lui ? « Je suis très aimé », constatait-il avec sa simplicité habituelle.

Parfois sa confiance me gagnait. J'en oubliais sa spectaculaire maigreur, sa faiblesse et la cicatrice qui apparaissait par moments entre les plis du pyjama. Sa mort prochaine devenait une chose absurde, une erreur de diagnostic, un mensonge de plus. De toutes les forces de mon cœur et de mon imagination, je voulais croire à sa guérison. C'était mon père et il ne pouvait pas mourir. J'en défiais Dieu : « Si vous existez pour de bon, prouvez-le en le faisant vivre. »

La mort d'Édith Piaf et celle, quelques heures après, de Jean Cocteau, balayèrent tous ces espoirs de contes de fées. Si ces deux-là n'avaient pas été sauvés, pourquoi mon père le serait-il ?

Je pleurais sur ces deux morts comme on pleure à quinze ans : bruyamment, convulsivement, excessivement. Mon père se méprenait sur les causes réelles de cet énorme chagrin. Il était très choqué : « Mais enfin, on croirait à te voir que tu viens de perdre tes parents ! » Mes sanglots redoublaient.

« Ressaisis-toi », me soufflait ma mère. Elle voyait son fragile édifice de mensonges s'écrouler et prenait peur. « Je sais à quel point tu aimes ton père. Mais tu *dois* m'aider. » Je ne l'écoutais plus. Elle essayait de m'attirer dans ses bras. « Je comprends tout ce que tu ressens... Tu sais, j'ignorais pouvoir encore éprouver de tels sentiments pour lui... mais je l'aime à nouveau. » Je me raidissais, soudain hostile. Elle insistait, voulait me convaincre. « De le voir si vulnérable, si dépendant de moi... et puis toute cette souffrance... Oui, je crois vraiment que si un miracle se produisait et qu'il guérisse, nous formerions un merveilleux couple... Lui aussi m'aime à nouveau. Nous repartirions sur un bon pied... » Ce discours me hérissait. Je le jugeais absurde, mensonger, délirant. Mon visage buté découragea ma mère. Je vis ses épaules s'affaisser et sa tête faire non, non. Ses yeux étaient plus tristes que jamais. Elle me faisait tellement pitié tout à coup. « Ne t'inquiète plus, je ferai ce que tu veux. Je t'aiderai. »

L'assassinat du président Kennedy, un mois et demi plus tard, et la mort en direct de son meurtrier présumé Lee Harvey Oswald achevèrent de me désespérer. Un chemin tragique s'était ouvert qui ne pouvait mener qu'à la mort de mon père. La violence était là, partout, en Amérique comme sous notre toit. Une violence sauvage, incompréhensible, qui venait d'on ne sait où, contre laquelle on ne pouvait rien. Inutile de se révolter ou de prier. Et à partir de là, je n'eus plus aucun espoir. À aucun moment. Je cessais même et pour longtemps de croire à l'existence de Dieu. Quel sens avait un monde aussi chargé d'horreurs et de cruauté ? Et si Dieu existait tout de même, s'il tolérait ce monde-là, c'était moi qui ne voulais plus de lui.

Mon grand-père en conçut beaucoup de chagrin. Il plaida la cause du Christ passionnément, avec toute la force de son intelligence et de sa sensibilité. En vain. Je réfutai en bloc tous ses arguments et refusai certaines de nos grandes discussions. La Littérature, le Bien, le Mal, oui. Dieu et la Religion, non.

Souvent, à huit heures du matin, nous faisions un bout de chemin ensemble. Lui, s'en allait suivre la messe dans sa petite église préférée de la rue de la Source, moi je rejoignais la station de métro Jasmin qui me conduisait jusqu'à Sainte-Marie, au Trocadéro. Nous remontions côte à côte et silencieux la rue Ribera. « Je prierai et communierai pour toi », me disait-il avant de nous séparer. Ses doigts alors effleuraient ma joue dans une fugitive et merveilleuse caresse dont il me semble, encore aujourd'hui, à de rares moments, éprouver comme le souvenir physique.

Pour me distraire mon oncle Jean me proposa de l'accompagner aux obsèques d'Édith Piaf. Je crois me souvenir que ma grand-mère s'était élevée contre ce projet le jugeant de « mauvais goût ». Mais comment ouvrir devant mon père un débat de fond sur les enterrements ? Ma grand-mère s'avoua vaincue. Et puis j'aimais tant Édith Piaf...

L'idée d'oncle Jean, si absurde qu'elle pût paraître à première vue, était bonne. S'il y eut un lieu où je cessai de penser à la mort de mon père, ce fut précisément et paradoxalement au cimetière du Père-Lachaise.

Jamais encore je n'avais vu une telle foule. Des milliers de personnes avaient suivi le convoi funèbre depuis le 67, boulevard Lannes. Des milliers d'autres attendaient aux portes du cimetière, dans les allées et aux abords du caveau familial. La police tentait sans trop de succès de les contenir et de protéger le cortège des célébrités à l'intérieur duquel mon oncle m'avait entraînée grâce à sa carte de presse.

Nous avancions derrière Marlene Dietrich qui tenait une rose rouge à la main. Des larmes coulaient sur son beau visage pâle. À notre gauche se tenait Jean-Claude Brialy et à notre droite Gilbert Bécaud. Tous deux pleuraient sans retenue de même que les Compagnons de la chanson et Tino Rossi, juste derrière nous. Ces artistes, que je n'avais jusqu'à ce jour vus qu'en photo, étaient là, en vrai, et moi qui n'étais rien, je marchais parmi eux.

Autour, une foule de plus en plus nombreuse continuait d'envahir le cimetière. On se poussait du coude, on escaladait les tombes, on se bousculait pour voir de plus près les vedettes, pour se rapprocher du cercueil. Un ahurissant mélange de curiosité avide et de douleur naïve. Et devant le chagrin de cette marée humaine, j'en oubliai le mien. Je devais être la seule à avoir les yeux secs, ce jour-là, au cimetière du Père-Lachaise.

Je rentrai à la maison excitée et fébrile et entrepris, pour ma famille, le récit de cette extraordinaire matinée. L'accueil fut plutôt froid. Ils avaient entendu à la radio des reporters indignés parler de « déferlement populaire » et de « sépultures saccagées ». Alors mon ravissement devant la noblesse du port de tête de Marlene Dietrich... « Tu es fière d'avoir participé à ce cirque ? » me demanda mon père. Et plus tard, devant les premières photos des quotidiens : « J'ai honte pour toi. » Il était très en colère et comme souvent, dans ces cas-là, injuste. Mais comment pouvais-je deviner les liens secrets qui le rattachaient, lui aussi, à Édith Piaf et plus particulièrement à l'une de ses chansons ?

Je préfère ne pas évoquer les dernières semaines de sa vie. Il a trop souffert. Trente ans après, je ne le supporte toujours pas.

Le jour de Noël, mon père s'est levé pour la dernière fois. Maman avait décoré l'arbre avec les boules et les anges de notre enfance. Toute la famille était présente hormis mon frère qu'on avait jugé bon d'éloigner à la montagne. Il y eut le traditionnel échange de cadeaux et de vœux ; les coupes de champagne qui se levaient au « prochain rétablissement de Wia ». Mon grand-père me prenait la main : « Sois courageuse, ne lui laisse rien voir de ton chagrin. » Il était éblouissant de gaieté, il entraînait les autres. Même mon père riait de ses mots d'esprit. Pourtant il tenait à peine debout et malgré sa canne, ma mère devait le soutenir. Sa maigreur était telle qu'il flottait dans son pull-over jaune.

Les photos prises ce soir-là sont les dernières de mon père vivant. Elles sont insoutenables : la mort est là, sur lui, victorieuse. On voit que ce n'est plus qu'une question de jours, d'heures peut-être.

J'ai tout oublié de son enterrement au cimetière russe de Sainte-Geneviève-des-Bois et des premiers temps sans lui. Je crois que j'écoutais l'*Hymne à l'amour* et *La Vie en rose*. Mécaniquement, sans savoir ce que signifiaient pour moi, à ce moment-là, ces paroles.

Il y a de cela un mois, alors que je commençais à écrire sans savoir où j'allais, dans le brouillard, poussée par une étrange nécessité, j'ai voulu écouter des chansons de Piaf. Par hasard, ce fut *La Vie en rose*. L'émotion que j'éprouvais fut tout de suite si forte, si enfantine et animale en même temps, que je compris enfin ce qui me rattachait, moi, à cette chanson.

> *Des yeux qui font baisser les miens*
> *un rire qui se perd sur sa bouche*
> *voilà le portrait sans retouche*
> *de l'homme auquel j'appartiens*

Celui qui apparaît aujourd'hui derrière ces paroles naïves et sentimentales n'a pas le visage d'un époux ou d'un amant ; il a les traits de mon père, ses yeux bleus et ses oreilles délicieusement décollées ; sa grande silhouette ; son parfum de chez Caron ; sa maladresse. C'est lui « l'homme auquel j'appartiens » dont « les yeux font baisser les miens ». Et c'est moi la femme qu'il tient dans ses bras. Un minuscule bout de femme de quatre ou cinq ans, peut-être moins.

> *C'est lui pour moi*
> *moi pour lui dans la vie*
> *il me l'a dit*
> *l'a juré pour la vie*

Il arrive que les chansons d'amour ne disent pas toujours la vérité comme je le croyais enfant. Il arrive aussi que les pères se trompent. Le nôtre avouait ne pas savoir s'y prendre avec les enfants en général et avec les siens en particulier. Nous l'irritions. Nous étions trop énigmatiques, trop changeants. Et puis, dans son esprit, l'éducation était l'affaire d'une mère, pas la sienne. Lui se réservait pour des interventions ultérieures. « Tu verras, me promettait-il, dès que tu seras devenue une jeune fille, je saurai m'occuper de toi. Nous ferons beaucoup de choses. Je me réjouis de tout ce que je vais t'apprendre. »

Je l'écoutais avec des sentiments mitigés. Nous n'avions pas les mêmes projets concernant mon avenir. Lui me voyait mariée et secrétaire dans un ministère. Jolie, équilibrée, avec de beaux enfants à qui je donnerais des prénoms russes en souvenir de mes origines. Ce tableau m'emplissait d'effroi. Je ne serais rien de tout cela. Je serais journaliste, actrice ou écrivain. Quant au mariage et aux enfants... Il ne croyait pas à mes protestations. Selon lui, une fois sortie de l'adolescence, je comprendrais le côté puéril de mes rêves. Il serait là alors pour me guider. « Et pour te protéger de toi-même, si nécessaire », affirmait-il avec un retour d'agressivité. Mais dans ses yeux brillait un mélange de tendresse et de fierté. « Tu as du caractère », disait-il radouci. Se souvenait-il, dans ces moments-là, du petit bout de femme de quatre ans en jupe écossaise qui montait avec lui à cheval pour mieux lui plaire ? Moi je me souviens de son bras gauche qui enserrait mes épaules pour m'empêcher de tomber ; de mon corps collé au sien ; du contact du cuir de la selle sur mes jambes nues ; du cheval qui avançait au petit trot sur le sable ; du parfum des grands eucalyptus plantés le long de la plage. Et quand je tournais timidement la tête vers lui je voyais :

des yeux qui font baisser les miens
un rire qui se perd sur sa bouche...

C'était à Montevideo, en Uruguay.

La vie ne nous a pas permis de nous affronter et de nous aimer davantage. Mon père est mort le 8 janvier 1964. Il avait quarante-huit ans.

II

MADELEINE

Les parents dînent à Genève. Mon petit frère dort dans son lit et, du mien, je vois le rai de lumière indiquant que, dans la chambre voisine, Madeleine va se coucher. Des bruits familiers accompagnent cette opération : un peu d'eau qui coule, une chaise que l'on repousse sans ménagement ; une fenêtre qui s'ouvre et des volets qui se ferment ; quelqu'un va et vient ; une chanson fredonnée à mi-voix, dont je devrais à force connaître les paroles mais que je néglige, attentive à ce qui va suivre et qui seul m'intéresse.

Enfin les grincements du sommier annoncent que Madeleine s'installe dans son lit. Je l'écoute tapoter les oreillers, creuser le matelas à la recherche d'une position confortable, se redresser et heurter un peu brutalement le bois de lit. Va-t-elle éteindre la lampe de chevet et s'endormir à son tour comme mon frère dont j'entends aussi la respiration bruyante, chargée, de petit garçon toujours enrhumé ?

Madeleine est arrivée chez nous quelques semaines auparavant. Elle est la nièce ou la cousine — en tout cas une parente puisqu'elle l'appelle « tante » — de Maryse venue de chez mon arrière-grand-mère maternelle pour s'occuper de la cuisine, du ménage et accessoirement de mon frère et moi.

C'était une époque où nos parents n'étaient pas souvent là. Papa parce qu'il travaillait beaucoup et que son métier l'obligeait à partir en mission, quelques jours, quelques semaines, dans des pays lointains. Maman parce que la vie en Suisse l'ennuyait et qu'elle se sauvait le plus souvent possible à la montagne, faire du ski. (Plus tard, quand devenue adulte, je lui reparlerai de ses absences et du souvenir tenace de solitude que mon frère et moi conservons de cette époque, elle protestera : « Mais c'est tout à fait inexact, j'étais presque toujours avec vous. Votre mémoire se trompe... Il ne s'agissait que de deux ou trois séjours à Crans-sur-Sierre ou à Zermatt ! — De plusieurs séjours... Tu étais tout le temps partie ! » Et elle, ulcérée : « C'est faux ! C'est archifaux ! »)

Maman avait confiance en Maryse, joyeuse, « capable », et qui connaissait bien la famille. Mais Maryse se languissait de Vémars, petit village de Seine-et-Oise, où vivait mon arrière-grand-mère, bien sûr, mais surtout un ouvrier agricole, Fred, dont elle était très éprise et qu'elle comptait bien épouser. Alors pour « éviter de plaquer madame Claire, si sympathique et qui ne le méritait pas », elle fit appel à une jeune parente du Luxembourg, Madeleine.

Madeleine, dès le premier coup d'œil, était irrésistible. Elle avait un joli corps, rond, mince, souple, toujours mis en valeur par des vêtements bien choisis et ajustés ; une démarche provocante, un sourire éclatant et tendre, de beaux cheveux châtains coupés court ; un regard à la fois coquin et innocent qui se mouillait à la plus fugitive émotion. Quel âge avait-elle ? vingt-deux, vingt-trois ans ? guère plus, il me semble. Elle nous paraissait à la fois très femme et encore dans l'enfance.

Elle, mon petit frère et moi, nous nous aimâmes aussitôt. Un vrai coup de foudre de part et d'autre ! Nos parents, ravis de cette entente immédiate, l'engagèrent sur-le-champ. Eux aussi avaient été sensibles à son charme. Ils décidèrent de lui faire confiance malgré sa jeunesse et son absence de certificats.

En échange, Maryse accepta de demeurer quelque temps encore pour lui enseigner comment s'occuper d'une maison et de ses habitants : soit deux adultes, deux enfants et un chien, un skye-terrier prénommé Vicouny que mon père adorait au point de le présenter comme « son premier fils ».

C'était l'époque où nous vivions à La Belotte, dans une maison basse au bord du lac, à cinq kilomètres de Genève. Trois ou quatre maisons, agréablement espacées les unes des autres et un hôtel-restaurant constituaient le voisinage.

« C'est dire si c'est calme », comme l'expliqua Maryse à Madeleine sans que l'on sache si c'était pour elle un défaut ou une qualité. Mais Madeleine regardait la prairie qui descendait jusqu'aux rives du lac, les rosiers, les bateaux qui avançaient paresseusement sur l'eau, les grands peupliers. Elle était attentive aux bruissements des branches, à l'écho lointain de quelques canots à moteur, à ma mère qui chantait *La Vie en rose* dans la salle de bains. Elle respirait, les narines dilatées et s'exclamait avec enthousiasme : « Quel bon air ! » Pour allumer aussitôt une nouvelle cigarette. Car Madeleine, comme maman, fumait beaucoup. L'excès de tabac assourdissait sa voix naturellement rauque et c'était pour nous une séduction de plus.

« Mes petits chéris, vous me conduisez à la plage ? » Elle désignait ainsi l'étroite étendue de galets, de l'autre côté de la rangée de peupliers, où des enfants s'affairaient à tirer une barque hors de l'eau. Elle n'écoute pas notre réponse, s'empare de nos mains et nous dévalons en riant la prairie. Comme elle porte des talons hauts et une jupe droite, la tâche n'est pas aisée. Elle tombe et nous entraîne avec elle. Nous roulons dans l'herbe, enlacés, ravis, hilares. Nous sommes fous de joie, mon frère et moi.

Mon frère.

Ce petit garçon un peu craintif, à la santé fragile et aux magnifiques yeux bleus, je l'adore et le maltraite avec la bonne conscience de l'aînée. Il se laissera faire, longtemps, plein d'amour et de confiance, et puis, une fois devenu adulte et soupçonneux, m'enverra au diable. Aujourd'hui encore, il est convaincu que je suis toujours capable de lui jouer un mauvais tour. Mais nous n'en sommes pas là. Pour l'instant il a cinq ans et moi à peine sept.

— Et pour les courses ? s'enquiert Madeleine.

Maryse explique. On va un peu plus haut, à Vésenaz, où on trouve de tout : boucherie, épicerie, marchand de tabac et de journaux. Mais on peut aussi passer commande par téléphone ou faire les courses en voiture, avec madame Claire.

Mon petit frère et moi sommes présents, collés à Madeleine comme deux chatons à leur mère. Maryse lui chuchote une phrase à l'oreille dont nous ne saisissons rien. Le visage déjà souriant de Madeleine s'éclaire et elle allume, fébrile, une nouvelle cigarette. « Quand ça, quand ça ? dit-elle très excitée. — Samedi soir », répond mystérieusement Maryse. Et Madeleine, la cigarette aux lèvres, les bras relevés en couronne au-dessus de la tête, la poitrine offerte et les hanches animées d'un impressionnant mouvement de balancier, se met à danser. Elle chante :

cha cha cha
bonito cha cha cha

Il se dégage de ce jeune corps une telle gaieté, une telle animalité saine et généreuse, que nous obéissons aux signes qu'elle nous fait et la rejoignons dans sa danse, au centre de la cuisine. Avec elle nous nous tortillons et chantons :

cha cha cha
bonito cha cha cha

Maryse, debout contre l'évier, donne le rythme en frappant dans ses mains.

La haute silhouette de mon père s'inscrit dans l'embrasure de la porte

— Eh bien, on ne s'ennuie pas ici !

Non seulement il n'a pas son air sévère habituel mais c'est comme s'il se retenait de rire, lui aussi. Madeleine se fige, écarlate.

— Continuez, l'encourage notre père. Mais n'oubliez pas de les faire dîner. Ma femme et moi sortons, ce soir.

Et devant nos deux mines penaudes :

— Amusez-vous, petits ânes

Les jours avec Madeleine et Maryse se confondent dans un brouillard heureux. Mes parents sont relégués à l'arrière-plan. Des figurants plutôt sombres dont la vie semble se dérouler ailleurs. Peut-être vient-elle de là cette impression tenace de petite enfance sans eux ? La gaieté de Madeleine et Maryse, leur capacité à s'amuser, à nous mêler à leurs jeux, devaient les éclipser. La jeunesse éclatante des deux femmes contre leurs soucis, en quelque sorte. Néanmoins, je crois *vraiment* qu'ils s'absentaient souvent. Une visite imprévue renforça cette légende familiale.

Nous étions mon frère et moi attablés dans la cuisine devant une assiette de coquillettes au beurre agrémentée de petits dés de jambon, quand retentit le carillon de la porte d'entrée. On nous avait toujours dit de ne pas ouvrir à des inconnus aussi nous ne bougeâmes pas, attendant que Maryse ou Madeleine, disparues on ne savait où dans la maison, s'en chargent. Et puis nous sortions du bain et nous étions en pyjama. Ce devait être la fin de l'hiver, car il ne faisait pas encore complètement nuit.

Le carillon reprit, plus long, plus insistant. Où étaient Madeleine et Maryse ? Nous entendions des éclats de voix et des bruits de pas sur le gravier : les visiteurs contournaient la maison. Mon frère et moi les guettions, sans cesser de manger et sans crainte : la Suisse est un pays paisible et nous ignorions, alors, ce que pouvait être la peur. À nos pieds le chien Vicouny grondait sourdement.

La porte vitrée de la cuisine était entrouverte.

Et tout à coup ils furent là, devant nous, aussi irréels que des personnages de contes de fées, avec de longs manteaux et l'élégance fatiguée des grands voyageurs. Ils contemplaient avec surprise ces deux enfants sages, propres, bien coiffés et prêts à aller se coucher.

— Vous êtes seuls ? demanda enfin ma grand-mère.

Et comme nous acquiescions d'un mouvement de tête.

— Vos parents ? Maryse ? Madeleine ?

— On est seuls, dit mon frère qui avait saisi plus vite que moi l'intérêt que cette situation paraissait éveiller chez nos grands-parents.

— C'est incroyable ! lâcha mon grand-père.

Et plusieurs fois durant l'heure qu'ils passèrent avec nous, malgré notre visible bonne humeur, notre éclatante bonne santé, notre confiance, il s'indigna : « C'est incroyable ! »

Nous les avions entraînés dans le salon afin de mieux les installer. Je leur proposai des yaourts Baïko, mon frère son assiette de coquillettes. Mais ils refusèrent : un dîner officiel les attendait à Genève. Alors ils nous expliquèrent le pourquoi de leur présence : ils revenaient de Stockholm où François Mauriac avait reçu le prix Nobel l'année précédente. Devant notre absence de réaction, ils essayèrent quelques minutes de nous expliquer en quoi cette distinction était glorieuse. Pour très vite y renoncer. Ce qui nous intéressait n'avait rien à voir avec la littérature : Neigeait-il en Suède ? Avaient-ils vu des rennes ? Étaient-ils montés dans des traîneaux ? Et de leur raconter avec passion comment nous avions réussi à apprivoiser un hérisson grâce à une écuelle de lait déposée chaque matin devant la maison.

Par les fenêtres du salon, on apercevait les bords du lac et le chemin qui conduisait à l'hôtel-restaurant. Deux silhouettes tentaient maladroitement d'enjamber la haie qui clôturait le jardin en s'éclairant avec une lampe de poche. Nous entendions leurs rires.

— Les voilà ! dit mon frère.

Madeleine et Maryse gravissaient la pente de la prairie, s'aidant l'une l'autre, embarrassées par leur jupe, leurs talons, leur sac à main et la lampe de poche qui tombait régulièrement dans l'herbe. Elles avaient les joues rouges, le rire haut et, une fois arrivées sur le terrain plat devant la maison, la démarche incertaine.

— Mais elles sont saoules ! s'indigna notre grand-père.

Notre grand-mère, très sèche et très digne, se leva pour aller à leur rencontre tandis que lui nous retenait dans le salon.

— Mes pauvres petits, disait-il. Abandonnés par vos parents... Avec des coquillettes pour dîner... Je téléphonerai demain à votre mère pour lui dire ce que j'en pense !

Pendant des années, ils racontèrent l'anecdote, l'exagérant, la rendant typique de l'éducation approximative qui était la nôtre et qu'ils réprouvaient. Chaque fois ils désolaient notre mère que le moindre reproche de leur part accablait et qui retrouvait dans ces moments-là des airs de petite fille punie. Et pour mettre un point final à leur récit, invariablement ils concluaient : « En plus, les petits Wia avaient l'air très heureux ! »

Madeleine et Maryse ne dédaignaient jamais un apéritif ou un petit verre de vin blanc suisse. Elles aimaient boire. Maryse ne fut jamais déraisonnable. Madeleine, si Au point d'y perdre sa beauté, sa jeunesse et sa liberté. Son âme et sa vie, ai-je envie d'ajouter anticipant sur les années terribles qui allaient bientôt faire d'elle une pathétique héroïne de *L'Assommoir* de Zola.

Mais en 1954, à La Belotte, Madeleine et Maryse étaient deux charmantes jeunes femmes qui fréquentaient les cafés et les bals où tous les mâles du coin s'empressaient de les inviter à danser. Couchaient-elles ? Je ne le crois pas. Maryse parce qu'elle était fidèle à son Fred de Vémars, Madeleine parce qu'elle était pure et croyait au prince des contes de fées, ces contes de Perrault qu'elle me lisait le soir, dans son lit, et qui nous transportaient l'une et l'autre dans un même rêve d'amour.

Nos parents souvent absents, elles s'amusaient. À l'hôtel-restaurant au bord du lac et surtout à Vésenaz où il y avait bal le samedi soir. Ou encore à la maison, entamant sans vergogne le porto réservé aux invités.

Jamais nous ne les vîmes saoules — d'ailleurs nous ignorions ce mot. « Pompettes », oui, assez souvent. Mais ces quelques verres en trop ne faisaient que renforcer leur gaieté, leur goût de la fête. Pour mon frère et moi éblouis, elles improvisaient des pantomimes, des danses et des tours de chant.

Je me rappelle d'une extraordinaire danse des papillons.

Elles avaient pour cela emprunté les grands ponchos de maman — un blanc et un rouge — et improvisèrent pour nous une histoire troublante où deux papillons s'aimaient d'amour tendre avant que de se rejeter pour je ne sais quel obscur motif. La radio diffusait une valse de Vienne.

Les deux papillons voletaient dans le salon, gracieux, se frôlant, sautant sur la table, le divan, le vaisselier ; disparaissant par la fenêtre et revenant par la porte. Un merveilleux ballet, amoureux, tendre, qui nous faisait croire pour *de bon* à l'existence de ces deux papillons.

Aussi, quand le drame éclata entre eux, quand

le rouge tout à coup repoussa le blanc, indifférent à ses larmes, à ses prières, à ses supplications, mon petit frère et moi, serrés l'un contre l'autre, mêlâmes, comme le font les enfants au Guignol, nos larmes et nos prières à celles du papillon blanc. Peine perdue. Le rouge demeura intraitable, mélange effrayant d'arrogance et de cruauté, et le blanc désespéré mourut d'amour, abandonné sur le tapis du salon, dans une agonie longue et poignante.

« Reviens en vie, papillon blanc », supplia mon frère. Et parce que l'immobilité du papillon durait au-delà des limites imposées par le jeu, au-delà du supportable, la première j'appelai : « Madeleine ! Madeleine ! » Alors le papillon blanc ressuscita et une Madeleine radieuse se jeta sur nous et nous dévora de baisers.

— Mes deux petits, comme je vous aime ! Oh, comme je vous aime !

Et nous savions qu'elle disait vrai et c'était merveilleux.

Si merveilleux que je ne me souviens plus du départ de Maryse. Au jour choisi en accord avec les parents, elle rejoignit Vémars et se fiança à Fred. Maintenant nous avions Madeleine pour nous deux seuls. Pour moi toute seule serait peut-être plus exact. Je profitais de mon statut d'aînée et du pouvoir que j'avais à sept ans sur l'imagination et les émotions de mon petit frère, pour occuper dans la journée de Madeleine un maximum de place, me faisant son amie, sa complice et sa confidente.

Ainsi avions-nous pris l'habitude de nous retrouver le soir dans son lit, quand mon frère dormait, et avant que les parents reviennent d'une soirée à Genève. Elle me lisait les contes de Perrault et parfois - mais pudiquement, sans vantardise et parce que j'insistais — évoquait ses amoureux de l'hôtel-restaurant et de Vésenaz. Il y en avait un, jeune, beau, sincère, qui tenait à l'épouser. Bien qu'elle fût une étrangère et malgré les réticences du père, patron de la boucherie qui réclamait pour son fils une « indigène » du canton. Madeleine gentiment se moquait de lui. Elle dansait avec d'autres hommes, allait partout où on la réclamait sans jamais se donner et d'une caresse, d'un baiser, revenait ensuite consoler le malheureux boucher. À ma question : « Mais pourquoi tu ne te maries pas ? », elle répondait avec simplicité : « Je ne l'aime pas. » Et nous reprenions la lecture du *Chat botté*, de *La Belle au bois dormant* et de *Gracieuse et Percynet*.

Sa voix rauque se voilait lorsqu'il était question du Roi Charmant et de l'amour qui le liait à vie à l'héroïne du conte. J'étais en pyjama, collée contre son flanc. Elle portait des chemises de nuit échancrées, légères et qui lui dénudaient le corps. J'aimais ses seins doux et confortables sur lesquels je posais ma joue ; ses beaux bras ronds ; l'odeur de ses cheveux, de sa peau où je retrouvais en vrac son parfum, celui de maman, la lavande de sa savonnette et cette odeur de transpiration qui lui était propre et qui m'évoquait des images de grandes prairies au soleil et de meules de foin. Très vite une voluptueuse chaleur me gagnait et je reculais le plus loin possible le moment où il me faudrait retrouver mon petit lit froid. J'aurais tant aimé que Madeleine me gardât avec elle toute la nuit !

Parfois la porte s'ouvrait doucement, poussée par mon frère qu'un rire ou qu'un mauvais rêve avait tiré du sommeil. Il serrait un koala en peluche ou mâchouillait son pouce. Il ne disait rien mais sur son visage chiffonné et buté se lisait toute la détermination du monde. Alors nous nous poussions et Madeleine lui faisait une place dans le lit. Mon frère s'y jetait. Il couvrait de baisers les seins de Madeleine qu'il appelait « ses beautés », en proie à une sorte d'excitation érotique qu'il ne cherchait pas à cacher et qui me laissait perplexe et vaguement jalouse. Son admiration pour les seins de Madeleine était connue de tous. Ne réclamait-il pas à n'importe quel moment de la journée la permission de toucher « les beautés » ? Notre père était fier de son petit mâle de fils et maman indulgente quoiqu'un peu dégoûtée, peut-être. Quant à Madeleine, ce culte lui arrachait des rires de gorge heureux. Elle cambrait davantage les reins, tendait orgueilleusement le buste et se choisissait des pulls de plus en plus étroits. Tout le monde était content : mon père, mon petit frère, les amis de nos parents, le boucher de Vésenaz, bref toute la gent masculine du coin

— Madeleine! appelle ma mère.

Sa voix est sèche, dure, méconnaissable « Ouille! » lâche Madeleine qui a compris immédiatement ce qu'on lui reproche. Elle fait celle qui n'a pas entendu, s'affaire à récurer le four, l'évier ou les carreaux de la fenêtre. Maman s'époumone et devant l'absence de réponse débarque en trombe dans la cuisine. Elle tend furieusement à bout de bras des robes très élégantes, les siennes. Madeleine pâlit, rougit, fait non-non de la tête avec des airs de biche traquée qui me serrent le cœur.

— Vous m'aviez juré, Madeleine, de ne plus jamais mettre mes vêtements en mon absence!

Oui, oui, murmurés faiblement, premiers reniflements : les yeux de Madeleine s'emplissent de larmes.

— Et vous avez profité de mon séjour à Crans-sur-Sierre pour recommencer!

Elle marche sur Madeleine, maintenant

acculée dans un coin de la cuisine, lui fourre les robes sous le nez.

— Reniflez-moi ça! Elles empestent la sueur, votre parfum au muguet et le mien dont vous vous êtes inondée sans vergogne si j'en crois le niveau du flacon!

Madeleine éclate en sanglots, ânonne de pathétiques « pardon, madame Claire, pardon, je ne le ferai plus ».

— Si encore vous aviez ma taille! Mais je suis bien plus mince que vous! Vos gros seins et votre gros derrière ont fait sauter toutes les coutures! Qu'est-ce que vous voulez que j'en fasse, moi, maintenant de ces robes?

Elle les jette rageusement sur le sol de la cuisine.

— En plus ça m'apprend que vous êtes beaucoup sortie, que vous avez fait la noce...

Madeleine, un genou à terre, le corps secoué de sanglots, ramasse les robes.

— ... que vous avez abandonné les enfants seuls à la maison...

Rugissement de lionne de Madeleine.

— Abandonner les enfants? moi? jamais, madame Claire! Je jure sur ce que j'ai de plus sacré!

— Ne jurez pas, Madeleine! Ne jurez pas!

Maman prend une grande respiration, allume une Chesterfield, semble vouloir se calmer. Et de fait y parvient : maîtrise parfaite du corps, de la voix. Seule sa main droite tremble un peu. Mais elle est toujours très en colère. Une colère froide, plus terrifiante que les éclats de voix qui l'ont précédée.

— À deux reprises déjà vous avez piqué et esquinté mes robes. J'ai passé l'éponge parce que vous m'aviez juré de ne pas recommencer. Mais maintenant, c'est fini, je n'ai plus confiance en vous... An, je comprends votre succès auprès du boucher de Vésenaz ! Des robes de chez Marie-Martine !

Un court silence. Madeleine reprend espoir et lève vers maman un visage baigné de larmes. Elle va parler, bredouille un premier mot mais ma mère lui fait signe de se taire. Elle, d'ordinaire douce et comme indifférente à tout, fait preuve en ces instants d'une incroyable autorité.

— Ce que je tenais à vous dire c'est que je ne peux plus vous laisser piller ma garde-robe. Pas plus que je ne peux confier mes enfants à une noceuse ! Je dois me séparer de vous.

Deuxième rugissement de Madeleine qui s'aplatit sur le sol en criant : « Ne me séparez pas des enfants ! Ne me séparez pas de mes bébés ! »

Mon frère et moi avançons dans la cuisine prêts à mêler nos larmes et nos supplications à celles de notre chère Madeleine. Maman nous prend fermement par les épaules et nous pousse dehors.

— Fichez-moi le camp, tous les deux, ce sont des histoires qui ne vous regardent pas.

Elle porte une main à son front.

— C'est malin, je crois que vous avez en plus réussi à me coller une migraine! Elle va venir! Elle monte! Elle est là!

Et elle claque la porte de la cuisine et court se réfugier dans sa chambre.

Dehors tombent les premiers flocons de l'année. Nous en oublions le drame affreux qui vient de se jouer et trépignons de joie, le nez collé à la fenêtre.

— Il neige! Il neige!

Les dîners avec nos parents étaient souvent alourdis de toutes sortes de tensions larvées. Notre père s'agaçait d'un rien, maman s'ennuyait ouvertement. Ils échangeaient des propos décousus que nous n'écoutions pas, aussi pressés qu'eux de quitter la table. C'est pourquoi nous préférions de beaucoup dîner avant, dans la cuisine, avec Madeleine, et cela finalement arrangeait tout le monde. Mais nos parents devaient penser que quelques repas pris en commun faisaient partie de notre éducation.

Ce soir-là, l'atmosphère autour de la table était particulièrement pénible. Mon frère et moi gardions la tête baissée sur des assiettes pleines.

Nous faisions sans le savoir notre première grève de la faim.

— Mangez au moins un peu, se désole maman.

Madeleine s'affaire, heurtant par mégarde un meuble, faisant tomber les couverts, apportant le dessert avant la salade. Elle a les traits du visage gonflés, les yeux rouges et renifle bruyamment.

— Qu'est-ce qu'elle a? demande notre père.

Maman lui fait des gestes qui signifient « tout à l'heure », « pas devant les enfants » que mon père ne comprend pas. Il nous dévisage longuement tous les trois et répète sa question :

— Qu'est-ce qu'elle a?

Mais cette fois c'est à nous qu'il s'adresse. Nous levons vers lui deux visages douloureux. L'un de nous deux pleure déjà et ça provoque aussitôt les larmes de l'autre. De la cuisine nous parviennent de bruyants sanglots.

— Madeleine! appelle mon père.

Madeleine apparaît en se tamponnant les yeux avec un torchon.

— Qu'est-ce qui se passe ici?

Il a parlé trop fort et Madeleine prend peur. Elle a une sorte de râle, puis s'enfuit dans la cuisine en claquant la porte derrière elle. On entend un bruit de verre brisé, un corps qui tombe et se relève. Et toujours des sanglots auxquels s'ajoutent des gémissements

— Qu'est-ce que c'est que cette maison de fous? s'énerve mon père.

Maman a renoncé à manger et fume, renversée dans son fauteuil, lointaine, résolue à nous ignorer. C'est plus que n'en peut supporter mon père. Il se lève, fouille dans ses poches à la recherche de son trousseau de clefs et se dirige sans un mot vers le vestibule. Nous entendons la porte d'entrée qui claque, le bruit d'un moteur qu'on met en marche et le patinage des pneus sur la neige.

— Où c'est qu'il va? demande mon frère.

Mais notre mère ne l'entend pas, le regard absorbé par les volutes de sa cigarette. Nous, nous fixons la neige qui tombe derrière les fenêtres.

— On a oublié de fermer les volets, dit encore mon petit frère. Chouette!

— Allez vous coucher, dit notre mère. Je viendrai vous embrasser quand vous serez au lit.

Elle quitte son fauteuil et s'agenouille devant l'électrophone à la recherche d'un disque qu'elle trouve tout de suite. C'est *La Vie en rose*. Notre mère écoute, les yeux mi-clos, la cigarette collée entre les lèvres. Son buste se balance doucement dans une sorte de danse à peine esquissée.

> *Il me dit des mots d'amour*
> *des mots de tous les jours*
> *et ça me fait quelque chose*

La porte de la cuisine s'ouvre, poussée par Madeleine comme attirée par la musique. D'entendre Piaf semble la distraire de son gros chagrin. Elle ne pleure plus et renifle par à-coups, avec un souci nouveau de discrétion.

Quand la chanson s'achève, ma mère l'aperçoit qui lui sourit de son bon sourire, si gentil, si confiant et auquel il est difficile de résister Maman la contemple quelques secondes, plus rêveuse que jamais. Puis elle soupire et lui renvoie son sourire.

— Madeleine, ha! Madeleine, je n'ai pas le cœur à me séparer de vous. Les enfants vous aiment trop et vous leur êtes très attachée, ça je le sais. Et moi aussi, je vous aime beaucoup. Alors je passe l'éponge cette fois encore... Mais c'est la dernière. Vous m'avez bien comprise? La dernière!

— Oui, madame Claire.

Madeleine s'avance dans le salon, le visage illuminé de joie. D'une main redevenue experte, elle commence à débarrasser la table, empilant les assiettes sans les heurter, balayant les miettes de pain. À voix basse elle chantonne.

Quand il me prend dans ses bras
qu'il me parle tout bas
je vois la vie en rose

Maman la rejoint pour l'aider dans sa tâche.

— Nous allons déménager, dit-elle. Nous quittons La Belotte pour La Capite, un petit village juste au-dessus de Vésenaz.

Madeleine ne faisant aucun commentaire, elle précise, malicieuse.

— Vous serez à deux kilomètres à peine de votre gentil boucher. Vous voyez que nous pensons à tout...

Madeleine a son petit sourire coquet de jeune femme flattée.

— Madame Claire sait bien que le boucher, c'est juste un flirt... Je ne l'aime pas assez pour l'épouser. Et puis sans vouloir faire ma prétentieuse, je ne me vois pas dans une boucherie Vous me voyez, vous, tenant la caisse ou découpant les escalopes?

Maman change de sujet.

— Le déménagement, les travaux de la nouvelle maison et l'emménagement vont durer environ trois mois. Ça vous ennuie si je vous envoie passer l'hiver avec les enfants à Vémars, chez ma grand-mère? Vous y verrez Maryse tous ‛les jours.

Madeleine fait la moue, soupire et louche vers la carafe de vin. Maman lui sert un verre que Madeleine avale aussitôt.

— C'est pas très amusant, la campagne, l'hiver, non?

— C'est pas très amusant, admet maman.

Mais vous pourrez toujours visiter Paris. Il y a un service de cars.

— Et puis j'aurai les enfants avec moi.

C'était dit si franchement que maman, émue, la prend dans ses bras et l'embrasse sur le front.

— Avec vous je les sais en sécurité. Mais plus de bêtises, hein, plus de bêtises?

— Plus de bêtises, jamais, promet Madeleine.

Et tandis que maman nous emmène nous coucher, je la vois qui se sert un nouveau verre de vin. Elle répète comme pour s'en convaincre : « Plus de bêtises... jamais plus de bêtises. »

Madeleine n'a qu'à entrouvrir la porte qui sépare les deux chambres pour que nous sautions de nos lits au sien. Elle achève avec une tranquille impudeur sa toilette tout en chantonnant une chanson qui lui plaît autant qu'elle nous amuse, bien que maman, un jour, l'eût jugée « idiote ».

> *Combien ce petit chien*
> *dans la vitrine*
> *combien ce petit chien*
> *jaune et blanc*

Madeleine se passe le gant de toilette sur le visage, le cou et sous le bras. Elle se brosse ensuite les dents avec l'énergie du Père Castor de nos albums; lisse ses cheveux et ses sourcils. Enfin elle va à la fenêtre.

— Laisse les volets ouverts, dit mon frère. De ton lit on continue à voir la neige tomber, c'est joli.

Madeleine respecte son désir et se glisse entre nous.

— Mes deux petites bouillottes ont bien chauffé les draps, dit-elle en riant de plaisir.

Elle a mon petit frère à droite qui déjà se cale sur son sein en ronronnant de bonheur et moi à gauche, un peu déçue de n'être pas seule avec elle, mais bien décidée à obtenir, ce soir encore, la lecture d'un conte de fées. Je lui tends le gros livre jaune témoin de nos plus belles nuits.

— Lequel tu veux? demande Madeleine.

Je n'hésite pas.

— *Serpentin-Vert* ou *L'Oiseau bleu.*

— Tu les connais par cœur.

— Justement.

Madeleine se met à compter.

— *Serpentin-Vert...* presque quarante pages. *L'Oiseau bleu,* pareil. C'est long!

— Et *La Biche au bois?*

— Encore pareil.

— Alors la moitié de *L'Oiseau bleu.* J'aime tellement quand Florine désespérée de ne plus voir son roi Charmant se met nuit et jour à la fenêtre et répète : *Oiseau bleu, couleur du temps, vole à moi promptement.*

— *Il était une fois un roi fort riche en terres et en argent; sa femme mourut et il en fut inconsolable,* commence Madeleine en baissant soudain la voix.

Mon petit frère, le visage enfoui dans ses seins, vient de s'endormir, vivante image de la plus pure des félicités.

J'ai tout oublié de l'installation à Vémars, dans la maison de notre arrière-grand-mère Léonie Lafon. Comme j'ai aussi oublié le moment où Madeleine a commencé à s'absenter, à changer. Ce devait être imperceptible, au début.

Mon frère et moi dormions dans la grande chambre bleue, au deuxième étage. Madeleine occupait celle voisine de la nôtre, plus petite et plus étroite. Je ne me souviens pas de lectures nocturnes dans son lit. Pourtant il est impossible que cette voluptueuse habitude se soit arrêtée d'un coup. Elle a dû se prolonger quelque temps puis s'espacer. Et de loin, après toutes ces années, comment ne pas y voir un signe ? un avertissement ? Le conte de fées que nous vivions, Madeleine, mon frère et moi, allait s'achever là, à Vémars, au profit d'un autre conte, mais noir celui-là, avec un mauvais prince et une méchante sorcière. L'air de ce village était empoisonné. Madeleine l'a-t-elle pressenti ? Je ne pense pas. Elle avait rencontré celui qu'elle croyait être son prince charmant ; elle était amoureuse. Follement, passionnément, aveuglément. Elle s'échappait de plus en plus souvent pour le voir. Là encore, je ne me souviens pas m'être aperçue de ses absences. Elle devait être très attentive à ne pas nous inquiéter.

Et puis les autres habitants de la grande maison rose s'intercalaient entre elle et nous.

Il y avait tout d'abord notre arrière-grand-mère que nous appelions comme tous les membres de la famille Grand-mère. Elle avait dépassé les quatre-vingt-dix ans, se portait fort bien et occupait une sorte d'appartement au premier étage. Elle y passait la plupart de son temps, lisant, cousant et écoutant la radio. Elle trottinait aussi à l'aide d'une canne et descendait encore à certaines occasions : repas de Noël, confection des confitures ou tour du parc au bras de sa fille ou de ses petits-fils. Parfois nous la surprenions endormie dans son fauteuil, les poignets liés par un chapelet. Elle avait des cheveux très blancs tirés en chignon et serrés dans un filet. Je ne l'ai jamais connue autrement que vêtue de noir. Je n'ai rien à lui reprocher et pourtant je n'éprouvais pour elle ni amour ni tendresse. Juste un vague respect pour son grand âge ; respect contrarié par instants par un léger dégoût : malgré tous les soins apportés chaque matin scrupuleusement à sa toilette, Grand-mère sentait le vieux. On était loin des délicieuses et vivantes odeurs de Madeleine !

Grand-mère nous inculquait des notions d'histoire sainte et c'était amusant. Mais ce qui nous impressionnait le plus c'était qu'elle ait vu, petite fille, Napoléon III et l'impératrice Eugénie passer en calèche dans le jardin des Tuileries. Et plus extraordinaire encore, elle avait mangé du rat, durant la Commune de Paris en 1871 ! À l'entendre ce n'était pas pire qu'autre chose. Cela nous laissait rêveurs, mon frère et moi. Nous en reparlions, souvent, de lit à lit, alors qu'on nous croyait endormis.

Une Alsacienne de quinze ans sa cadette, Anna, veillait sur elle et régnait en maîtresse absolue sur la maison, les poulaillers et l'enclos des lapins. Elle était autoritaire, grognon, pleine de méfiance à l'égard des enfants, à ses yeux source d'ennuis. La plus anodine bêtise était immédiatement rapportée à Grand-mère. Je la soupçonne, aujourd'hui, d'avoir espionné Madeleine. La dénoncer, la salir, a dû donner bien du plaisir à cette femme aigrie, confite dans la religion et qui pourtant n'hésitait pas, malgré nos pleurs et nos prières, à jeter dans la cuisinière à bois des portées entières de chatons nouveau-nés. De voir ces petites boules de poils vivantes, aux yeux encore fermés, ainsi précipitées dans les flammes me faisait découvrir l'enfer. Un jour je me révoltai et courus chercher de l'aide auprès de mon grand-père. François Mauriac partageait la façon de voir des gens de la campagne : les animaux domestiques, oui, mais dehors. Ou bien à la cuisine quand il fait très froid. Cependant mon récit l'horrifia. Il fit à Anna et à Grand-mère (sa belle-mère) une scène épouvantable qui demeura longtemps dans toutes les mémoires. On continua à se débarrasser des portées de chatons (les trois chattes officielles étaient constamment pleines) mais loin des regards des enfants et « proprement ». Enfin, c'est ce qu'on nous promit...

De ces épisodes meurtriers et sadiques date ma totale aversion pour la vieille Anna. Toutefois cela ne m'empêchait pas de me régaler de son extraordinaire cuisine et de lui réclamer, chaque matin et cela jusqu'à l'âge de dix-sept ans, sa délicieuse bouillie au chocolat et à la maïzena, brûlante, onctueuse et qu'un filet de lait Gloria rehaussait au rang de chef-d'œuvre.

Et Madeleine durant ces mois d'hiver ? Elle nous levait, nous habillait et nous envoyait tous les matins chez une institutrice retraitée, à l'autre bout du village.

Mme Succar nous enseignait la grammaire et le calcul, en prenant soin de protéger sa table d'une épaisse toile cirée : elle redoutait plus que tout les taches d'encre et nous regardait tenir nos porte-plume avec une nervosité qui souvent nous gagnait. Alors, je ne vous dis pas les taches... Mais elle aimait aussi la poésie et exigeait qu'on en sache quelques-unes par cœur. Une seule m'est restée en mémoire, peut-être parce qu'elle évoquait ce qui se tramait dans l'ombre et que j'ignorais encore.

> *Le bonheur est dans le pré*
> *cours-y vite, cours-y vite.*
> *Le bonheur est dans le pré*
> *cours-y vite, il va filer.*

L'après-midi, en principe, Madeleine devait nous emmener en promenade, mais elle s'absentait de plus en plus. Alors nous jouions dans le parc et suivions à la trace Jules, le jardinier, qui nous parlait merveilleusement bien des arbres, des saisons et des animaux. Il nous apprit à faire cuire des pommes de terre sous la cendre et à distinguer les chants des oiseaux. Parfois il nous emmenait à l'aube pour surprendre les biches et les cerfs se désaltérant dans le petit lac du bois Saint-Laurent. On l'aimait beaucoup.

Quand Madeleine rentrait, elle était agitée, distraite et plus que jamais sentimentale. Elle nous serrait contre elle, nous embrassait : « Mes petits... Ah mes chers petits. » Ses yeux s'emplissaient de larmes.

Le soir, au dîner que nous prenions dans la cuisine, mon frère, Madeleine, Anna et moi, elle descendait à elle seule presque une bouteille de vin. Malgré les remarques acerbes d'Anna et ses tentatives pour lui arracher la bouteille. Madeleine, excitée par la boisson, riait, levait son verre à la terre entière et tentait par ses câlineries d'amadouer la terrible vieille. En vain.

La tendresse naturelle de Madeleine s'étendait aux animaux. Elle prenait sur ses genoux la chatte grise Mousy, lui parlait, la caressait. Mousy, élevée à la dure, ronronnait au bord de l'extase. Était-ce cet innocent bonheur qui irritait tant Anna ? Elle se levait, ouvrait la porte de la cuisine et chassait Mousy à coups de torchon. « Sapristi de chats ! » maugréait-elle. Mon frère et moi protestions par des hurlements, des menaces et des « méchante ! méchante ! méchante ! ». Sa colère alors retombait sur nous. « Je dirai à votre maman comme vous êtes insupportables et mal élevés ! Sapristi d'enfants ! » C'était au tour de Madeleine de s'indigner. Elle avait pour nous défendre la véhémence d'une mère. Une lionne enragée, Madeleine, dans ces moments-là !

Un jour, Madeleine nous annonce qu'elle nous emmène en promenade sur un drôle de ton, sérieux, qui ne lui ressemble pas. Elle nous met nos plus beaux vêtements, domestique à coups de brosse et de baisers nos cheveux embroussaillés, vérifie méticuleusement la propreté de nos mains et l'état de nos chaussures. « Je veux être fière de vous, mes petits princes », répète-t-elle en accentuant son rouge à lèvres et le rose de ses pommettes. Elle porte une jupe droite et, sur son pull noir collant, une belle veste qui provient de la garde-robe de maman. Parce qu'il fait froid, elle a renoncé à ses talons hauts pour de confortables bottillons fourrés.

Ainsi parés nous franchissons le portail.

— On va vers le cimetière ? demande mon petit frère.

— Non.

— Pourtant, après le cimetière, il y a la maison du Diable... J'aimerais tant la voir de près !

Il en frissonne de plaisir. « Non, non », sourit Madeleine. Et de fait, nous descendons dans le village, c'est-à-dire à l'opposé de ce qu'il souhaite.

— Vers les Communes, alors ?

— Non plus.

Désemparé, il cesse de poser des questions. Pour très vite se plaindre de ses chaussures trop neuves qui lui font mal.

Madeleine semble savoir où elle va. Nous dépassons l'église et prenons une route sur la gauche. Quelques maisons basses, des cours de ferme et puis plus rien : nous avons quitté le village.

Une campagne monotone s'étend devant nous, figée par le froid de l'hiver. À part quelques cris de corneilles que notre présence irrite, tout est silencieux et vide.

Brusquement des pas résonnent sur la route. Quelqu'un marche derrière nous et se hâte. On entend distinctement le bruit métallique des chaussures à bout ferré sur le goudron. Et plus les pas se rapprochent, plus Madeleine ralentit.

Et tout à coup il est là, gauche, emprunté, un sourire timide aux lèvres. Madeleine lâche nos mains et se retourne. Ses yeux se mouillent d'émotion.

— René, dit-elle.

Elle nous désigne du menton.

— Mes deux petits enfants chéris. Ils sont choux, non ?

Nous sommes très intimidés. Je détaille en douce le nouveau venu, un bel homme, pas très grand, mince, avec d'épais cheveux ondulés d'un noir aile-de-corbeau. Il est vêtu comme les ouvriers agricoles du village d'une sorte de bleu de travail. Je remarque en vrac et confusément sa pâleur, son regard qui fuit, ses mains qui tremblent tandis qu'il essaie d'allumer une cigarette.

— Tu aurais dû mettre une veste, un chandail... Il fait froid, lui reproche Madeleine.

Malgré ses protestations, elle se débarrasse de sa coquette écharpe de laine et l'enroule autour du cou de son ami. Elle met dans ses gestes la même tendre attention que lorsqu'elle nous habille et pourtant c'est différent. On la croirait aimantée par cet homme. Ses mains s'attardent sur son cou, sur ses épaules, sur sa poitrine ; son corps se dresse sur la pointe des pieds pour que leurs deux visages soient à la même hauteur. Elle ne peut détacher son regard du sien et ses lèvres bougent comme si elle lui parlait. Mais aucun son ne sort de sa bouche. Seule une petite buée s'en échappe et s'en va caresser le visage de René.

— Courez devant, mes enfants chéris, sinon vous allez prendre froid.

Elle attend que nous soyons à quelques mètres d'eux pour se pendre au cou de René et coller ses lèvres sur les siennes dans un long, très long baiser. Puis elle se serre contre lui et bras dessus bras dessous, ils nous emboîtent le pas. Elle riant, bavardant, lui gauche et comme gêné de tout ce déploiement amoureux. Car Madeleine de nouveau l'embrasse, avec passion, avec voracité. Au point que mon frère et moi pourtant si curieux n'osons plus les regarder et parlons exprès d'autre chose, de Mme Succar et de la belle grande tache d'encre que j'ai faite le matin même. « C'était drôlement bien réussi. On aurait dit l'Afrique », me félicite mon frère. Et moi, très flattée : « Je n'ai rien calculé, ça s'est fait par hasard. — Mon œil ! » Mon frère et moi adorions les conversations qui, bien argumentées, nous conduisaient souvent jusqu'à l'heure du dîner.

Plus tard, quand Madeleine à tour de rôle nous plonge dans une grande bassine en zinc appelée tub afin que nous en ressortions selon son expression « propres comme deux sous neufs », elle est intarissable. N'est-ce pas qu'il est beau, son René ? Et si gentil ! Est-ce qu'il nous plaît, au moins ? Elle veut que nous l'aimions, elle le veut plus que tout ! Pour lui faire plaisir, nous répondons oui en chœur à ce déluge de questions. Madeleine glisse ensuite vers des confidences plus intimes.

— Je l'aime. C'est l'homme de ma vie, mon prince de conte de fées. Je ne veux plus le quitter, jamais.

Mais ces paroles-là, je m'empresse momentanément de les oublier. Ce qu'elles impliquent, pour mon frère et moi, est bien trop menaçant.

Il y eut d'autres promenades. René tout à coup surgissait de derrière un taillis, au détour d'un champ ou des profondeurs d'un petit bois. La fréquence de ces rencontres ne changeait rien à son habituelle façon d'être : gauche, fuyant et comme gêné par les transports amoureux de Madeleine. C'est qu'elle lui faisait fête ! Son bonheur me plaisait autant qu'il m'effrayait : c'était excessif, démesuré. Cet homme était-il digne d'une telle passion ? « Oui », me jurait Madeleine. Et je la croyais.

Un jour, elle prend de nouveau un soin particulier pour nous coiffer et nous habiller.

— Je veux vous présenter à la mère de René. Vous devez me faire honneur.

Parce qu'il a une mère ? Première nouvelle !

Descente dans le village, passage devant l'église et petite route sur la gauche. Madeleine s'arrête et nous désigne une bâtisse basse, de l'autre côté d'une cour, boueuse et malpropre, traversée de poules que notre soudaine apparition affole et qui zigzaguent dans tous les sens.

En habituée des lieux, Madeleine cogne contre un volet et sans attendre qu'on lui réponde, pousse la porte, nous entraînant avec elle.

La pièce est petite, très sombre et sent le vieux chou rance. Il n'y a ni plancher ni tapis mais un sol en terre battue. Une cuisinière à bois, un évier et quelques meubles occupent l'espace. Sur le buffet, deux photos : l'une représente René et l'autre un homme moustachu qui lui ressemble beaucoup. « Son père, un maçon italien. Il est mort en tombant d'un échafaudage », me chuchote rapidement Madeleine. Elle tousse de manière à signaler notre présence.

Alors quelque chose bouge contre l'étroite fenêtre. Un vieux fauteuil à roulettes se déplace de quelques centimètres et une sorte de monstre femelle apparaît, tassé dans des coussins, énorme. Il est si effrayant que je ne peux me résoudre à lui accorder le baiser que Madeleine, à voix basse, me supplie de lui donner. Mon petit frère, plus dégoûté encore que moi, a aussitôt reculé de deux mètres.

— Ils sont si timides, de vrais sauvages, s'excuse Madeleine. Mais quand vous les connaîtrez mieux, vous les aimerez autant que moi. Des amours, ce sont des amours !

Le monstre grimace un sourire, prononce dans un incompréhensible jargon ce qui doit être des paroles de bienvenue et aboie un ordre. Madeleine s'empresse d'ouvrir le buffet et d'en sortir une assiette de gâteaux secs.

Mon frère et moi avons l'appétit coupé mais les yeux de Madeleine nous supplient et nous en avalons chacun un.

Un silence pesant s'ensuit. Le monstre mâche lui aussi son biscuit. Des miettes et de la bave glissent de sa bouche édentée et notre Madeleine lui essuie le visage à l'aide de son mouchoir. L'opération de nettoyage achevée, Madeleine prend un ton joyeux qui sonne on ne peut plus faux.

— Merci pour ce délicieux goûter, maman. Nous allons vous laisser vous reposer. Vous devez être fatiguée...

Je n'ai pas le temps de me choquer pour ce « maman » que déjà Madeleine me pousse vers le monstre. « Embrasse-la pour lui dire au revoir, implore Madeleine à mon oreille. Sois gentille... fais-le pour moi. »

Penchée sur le fauteuil, j'effleure une vieille joue poilue. Pour me reculer précipitamment : le monstre sent mauvais. Une odeur de fosse d'aisances pour être tout à fait exacte.

Je venais de rencontrer la première mauvaise fée de ma vie. Pire que la Margotine de *Serpentin-Vert.*

De plus en plus fréquemment les repas du soir se passaient mal. Il arrivait que Madeleine, partie toute la journée, rentrât trop tard pour le tub. Il arrivait aussi et à l'inverse qu'elle s'échappât à peine la soupe avalée, chaussant fébrilement ses bottillons, parfumée, rose d'excitation. « Couchez-vous tout seuls. Je viendrai vous embrasser en rentrant », nous disait-elle en baissant la voix. Mais à notre grand regret, nous nous endormions toujours avant le baiser promis.

Dans un cas comme dans l'autre, Anna crachait des propos désobligeants. Nous ne les comprenions pas toujours et tant mieux : s'ils blessaient Madeleine, ils nous blessaient aussi. Certains me sont restés en mémoire : « S'amouracher d'un poivrot..., d'un ivrogne..., la risée du village », « Tu n'as pas honte, traînée ? Avoir le feu au cul pour ce miséreux même pas capable de garder un emploi trois jours de suite ».

Parfois Madeleine entrait dans de violentes colères, insultant à son tour Anna ou la menaçant avec une casserole et même un hachoir. Parfois le chagrin la terrassait et elle quittait précipitamment la cuisine pour courir s'enfermer dans sa chambre. Nous entendions sa course dans le couloir, dans l'escalier ; ses sanglots et ses gémissements. Et la voix déformée d'Anna qu'emportait une incontrôlable fureur : « Traînée ! Soûlarde ! Tu finiras comme lui ! » Dans la foulée, s'il y avait une chatte qui dormait paisiblement sur une chaise, elle la prenait par la peau du cou et la jetait dehors : « Sapristi de chats ! »

Maman fut alertée. Mais comme elle se trouvait en Suisse occupée par le déménagement, elle n'intervint pas tout de suite. Au téléphone elle nous demandait si nous avions à nous plaindre de Madeleine. Nous lui jurions que non, témoignant ainsi de notre amour pour elle, intact, et qui démentait les terribles accusations de Grand-mère et d'Anna. « Je serai bientôt de passage à Paris et je parlerai à Madeleine », nous disait-elle. Elle semblait préoccupée.

Il y eut entre maman et Madeleine plusieurs conversations. Elles s'enfermaient dans une chambre ou faisaient le tour du parc. Nous les suivions à distance, rampant entre les buissons et les ronces, plus excités par cette romanesque filature que par les secrets qu'elles pouvaient échanger.

C'était maman la plus bavarde. Elle plaidait pour quelqu'un ou quelque chose, faisait de grands gestes. Parfois elle saisissait Madeleine par les épaules et la secouait. Parfois elle la serrait dans ses bras comme une enfant qu'on console. De fait, Madeleine pleurait beaucoup, mouillant une quantité impressionnante de mouchoirs. Elles sortaient de ces entretiens aussi abattues l'une que l'autre.

Maman décrivait aussi la grande maison que nous habiterions dans un village appelé La Capite : nous y aurions chacun notre chambre ce qui était un immense événement puisque depuis toujours mon frère et moi dormions ensemble. Puis elle s'adressait de nouveau à Madeleine, qui l'écoutait les yeux baissés et l'air chagrin. « Vous aussi vous aurez votre chambre. Elle vous plaira beaucoup, grande, lumineuse, avec un balcon particulier où vous pourrez prendre vos bains de soleil. » Madeleine reniflait et ne répondait rien. « La maison est à un kilomètre de Vésenaz... Vous pourriez voir votre petit boucher tous les jours. Je vous ai dit qu'il demande sans cesse de vos nouvelles ? Ah,

Madeleine, vous lui avez brisé le cœur à ce pauvre garçon ! Mais il y a aussi les autres, vos admirateurs, vos soupirants ! Vous vous rappelez des bals du samedi soir ? Vous étiez la reine de Vésenaz ! » Madeleine à cette évocation éclatait en sanglots et maman, oubliant notre présence, insistait comme inspirée : « Et vous renonceriez à cette vie qui vous amusait tant ? Vous n'êtes pas faite pour vous enterrer vivante dans ce trou à rats avec ce pauvre homme que vous aimez, bien sûr, mais qui est un incurable alcoolique, un chômeur... Quant à son horrible mère, elle vous déteste Madeleine et vous êtes condamnée à vivre avec elle... Elle vous fera payer très cher votre intrusion dans sa maison, l'amour que vous avez pour son fils. Vous avez remarqué comme il est faible ? Il a peur d'elle ! Elle fera de vous sa bonne, une souillon, une esclave et lui ne sera pas fichu de vous défendre. C'est ça la vie que vous voulez ? »

Maman relevait de force le visage de Madeleine avec un mélange d'autorité et de tendresse réelle. « Vous êtes si jolie, tout le monde vous adore. Vous en trouverez dix à la douzaine des hommes prêts à vous épouser, à vous faire des enfants... Mais pas celui-là, Madeleine ! D'ailleurs vous l'oublierez... Suivez-nous à La Capite... Je vous jure que vous retrouverez très vite votre sourire et votre joie de vivre... »

Madeleine protestait avec des mots trop simples, toujours les mêmes : « Mais je l'aime, madame Claire. C'est mon homme, ma place est à ses côtés. »

Parce que l'un de nous deux avait bougé ou reniflé, maman se souvenait de notre présence. Son ton se durcissait. « Et eux ? Vous avez pensé à eux ? vous abandonneriez ceux que vous appelez vos enfants ? » Les sanglots redoublaient. « Madame Claire..., c'est à cause d'eux que j'hésite encore... les quitter me brise le cœur... Mais quitter René... Je l'aime, madame Claire, je l'ai dans la peau. » C'était au tour de maman de se taire, consternée, à bout d'arguments et peut-être troublée. Elle nous quittait brusquement et s'en allait, fermée, énigmatique, faire seule le tour du parc, en proie à des pensées qui ne nous concernaient plus. Madeleine nous serrait alors dans ses bras et nous embrassait avec une violence animale.

Anna épiait, l'œil mauvais. À cause de maman elle n'osait plus insulter Madeleine à voix haute. Alors elle maugréait sans arrêt et s'en prenait aux chattes qu'elle jetait dehors pour un oui ou pour un non. Les chattes atterrissaient en souplesse dans l'herbe et s'en allaient paisiblement achever leur toilette au soleil. Il faisait beau. Jules brûlait ici et là les branches mortes, bêchait les parterres devant la maison pour y planter des pensées en pied. Dans la grande prairie, au nord, pous-saient en désordre et librement des crocus, des primevères et des perce-neige. L'hiver s'ache-vait.

En Suisse le printemps était en avance.

Dans la prairie qui entourait la maison c'était là aussi un éblouissement de crocus et de primevères. Les crocus me semblaient plus variés et plus vigoureux qu'à Vémars : jaunes, blancs, mauves et violets ; énormes. Maman nous désignait une rocaille dont elle tirerait un joli jardin qui serait son œuvre. Elle vantait les arbres fruitiers et plus particulièrement un cerisier où elle ferait installer à notre intention un trapèze et une balançoire. Nous la suivions dans la maison, visitant tout de la cave au grenier. Le balcon qui encerclait le premier étage nous plut beaucoup. Mais je restais triste et muette, indifférente à ce nouveau décor, à cette nouvelle vie. Mon frère, plus curieux, courait partout, clamait son bonheur d'avoir enfin « sa chambre », organisait déjà sur le balcon une bataille rangée entre ses chers Indiens et ses chers cow-boys.

Mon mutisme préoccupait maman. « J'ai fait

ce que j'ai pu... C'est une vraie tête de mule notre Madeleine. Mais tu sais ce que je lui ai promis. Au premier signe d'elle, je lui envoie un billet de train et de l'argent. Je la reprendrai... n'importe quand. » Et comme je ne réagissais pas assez vite à son gré : « De toutes les façons, tu la reverras puisque nous retournerons à Vémars pour les vacances de Pâques ou de Noël. Mais je frémis à l'idée de ce que va être sa vie. Elle va sombrer, c'est sûr. — Sombrer ? » Je ne comprenais pas. « Rien. Oublie ce que je viens de dire. Après tout, qui peut se vanter de savoir ? »

Nous pénétrions dans le salon, maman devant, moi sur ses talons, de plus en plus triste, incapable de m'intéresser à ce nouveau lieu. « Tu veux une tartine de reblochon ? » demandait maman. Et comme je répondais par la négative : « Mais enfin, tu *adores* les tartines au reblochon. Un Baïko, alors ? » Elle me regardait, déroutée, ne sachant plus comment se comporter avec cette petite fille trop silencieuse. « Et puis zut, tu m'appelleras si tu as besoin de quelque chose. Monte faire connaissance avec ta chambre. Installe-toi. »

À peine arrivée en haut de l'escalier, j'entendis s'élever la voix d'Édith Piaf.

Tant que l'amour inondera mes matins
tant que mon corps frémira sous tes mains

que m'importe les problèmes
mon amour puisque tu m'aimes

Je redescendis quelques marches. Maman fumait une cigarette, les yeux clos, alanguie sur le canapé. Si lointaine.

Au début, chaque fois que nous retournions à Vémars, nous revîmes Madeleine.

Parfois c'était elle, prévenue de notre arrivée, qui montait à la maison rose. Elle nous embrassait vingt fois, nous appelait « ses enfants », « ses bébés » et se mettait à pleurer. « C'est rien, c'est rien, c'est l'émotion », disait-elle en se tamponnant les paupières.

Le temps semblait passer plus vite pour elle que pour les autres femmes. Elle changeait, perdait sa fraîcheur. Ses joues jadis si douces devenaient rêches et marbrées de petits vaisseaux. En notre honneur, elle peignait ses lèvres en rouge. Le résultat était bâclé : elle avait perdu le goût de se maquiller, il ne lui restait plus rien de son ancienne et exquise coquetterie. Ses mains, surtout, me faisaient de la peine : rouges, boursouflées, esquintées par les travaux ménagers, l'eau froide et le tabac qui jaunissait ses doigts. Elle avait un peu forci. Ses vêtements étaient épais, gris et marron, tristes comme ceux que portent les femmes qui travaillent aux champs. On était loin de la radieuse jeune femme qui chavirait tous les cœurs de Vésenaz et de l'hôtel-restaurant des bords du lac.

Parfois c'était maman, mon frère et moi qui descendions lui rendre visite.

Madeleine nous faisait fête, s'excusait du désordre de la pièce, de la saleté : « J'allais justement faire le ménage. » Elle repoussait des assiettes, une casserole, ramassait à la hâte les bouteilles de vin vides qui traînaient un peu partout. Sur le buffet quelques photos nous représentant mon frère et moi occupaient maintenant la première place. Maman se faisait un devoir de lui en envoyer régulièrement.

Dans le fauteuil près de la fenêtre, le monstre devenu impotent était de plus en plus énorme, de plus en plus haineux. Madeleine devait tout faire : le lever, le coucher, l'habiller, le nettoyer. Et le torcher. Car le monstre s'acharnait à lui rendre la vie impossible. Faire sous elle et si possible en présence des rares visiteurs — nous, par exemple — procurait une intense satisfaction à la vieille femme. C'était le seul moment où une amorce de sourire étirait sa bouche, noire et complètement édentée ; où un soupçon de flamme éclairait ses yeux, petits, très enfoncés et qui semblaient avalés par la masse gélatineuse de son visage.

La puanteur nous obligeait à battre retraite. « Belle-maman, pourquoi vous me faites ça ? pourquoi vous êtes si méchante ? » gémissait Madeleine avant de se lancer à notre poursuite.

Nous étions aussi bouleversés qu'elle. Maman l'entraînait un peu à l'écart, les larmes aux yeux. « Madeleine, quittez tout ça et venez avec nous. Moi seule suis coupable. C'est moi qui vous ai fait venir à Vémars. C'est ma faute si vous avez rencontré cet homme. Je veux vous sauver, vous arracher à cet enfer. Venez avec nous... On recommence à zéro. » Madeleine, bien sûr, sanglotait, faisait non, non, de la tête. « Je sais qu'il vous bat, insistait maman, qu'il est ivre du matin au soir, au point de ne pas pouvoir travailler. Je sais que sa mère et lui vivent à vos crochets avec le peu d'argent que vous gagnez en faisant des ménages. » Et toujours Madeleine répondait : « Je l'aime, madame Claire, c'est mon homme. »

Ce que racontait Maryse, quand elle venait à la maison rose aider la vieille Anna, était bien pire. Madeleine était maintenant aussi ivrogne que René. Ils faisaient scandale dans l'unique café-tabac du village et souvent le patron devait les expulser. À cause de leurs disputes, des cris, des gifles. Madeleine, quand elle avait bu, devenait agressive. Entre eux, très vite, le ton montait et, presque chaque fois, il la battait. « Corrigeait », disait Maryse qui ajoutait, histoire de ne rien nous épargner du calvaire de notre chère Madeleine : « Que de fois elle s'est réfugiée chez moi, les yeux au beurre noir, le visage tuméfié. Mais toujours faut qu'elle y retourne. Je dois dire à sa décharge que quand il est à jeun, il est doux et gentil, comme un agneau. Mais c'est elle à présent qui l'entraîne à boire. »

Maryse coulait une vie paisible auprès de son Fred, dans une jolie ferme au bout du parc. Pour je ne sais plus quelles raisons, ils n'étaient pas mariés et cette situation « scandaleuse » offusquait Anna et Grand-mère. Pourtant, c'était un couple très heureux.

Apres la mort de mon père je dus m'échapper très loin, très vite, de tout ce qui touchait à l'enfance et à la famille. Cela me fut possible grâce au cinéma.

Dès dix-huit ans, je cessais d'aller à Vémars. J'avais pris en horreur la maison rose, son parc et les week-ends que maman y passait en compagnie de son frère Jean et de son cousin Bruno.

Je n'aimais plus ces deux oncles qui me semblaient si merveilleux lorsque j'étais enfant. La vision qu'ils nous donnaient du monde était sinistre. Devant mon frère, devant moi, devant n'importe qui, ils détaillaient inlassablement leurs conquêtes. Vus par leurs yeux et racontés par leurs mots, les rapports entre les hommes et les femmes devenaient sordides, cruels, terrifiants. Rien ni personne n'obtenait leur indulgence. Pas même les femmes que j'admirais et qu'ils se plaisaient à dénigrer. On est trop sérieux à dix-sept ans, on manque d'humour. J'imagine aujourd'hui que ma raideur ajoutait du piment à leurs jeux et qu'ils s'amusaient beaucoup de mes mines effarouchées et de mes timides protestations.

Même la poésie qui se dégageait de Vémars, à laquelle je fus longtemps sensible, ne parvenait plus à me retenir. C'était mortifère. Une eau croupissante et des fleurs fanées oubliées dans un vase. Tout le contraire de Malagar, l'autre propriété dans les vignes, si radieuse, que je n'ai jamais cessé d'aimer et qui jusqu'au bout resta un refuge, le lieu où tous les bonheurs redeviennent accessibles, où tous les chagrins s'estompent.

J'avais presque trente ans quand je m'en retournai passer quelques jours à Vémars auprès de ma mère et de ma grand-mère, Jeanne Mauriac. Grand-mère, papa et mon grand-père étaient morts et enterrés. Jules, très vieux, jardinait toujours mais au ralenti. Je ne me souviens plus d'Anna.

C'était l'été, le mois d'août. Le parc, mal entretenu, se transformait en jungle. Une très belle jungle. Il avait plu toute la nuit. Les prairies devenues savanes fumaient au soleil. Cette nature si vivace me semblait plus forte que tout. Comparés à elle, nous étions peu de choses, nous pauvres humains.

Mon babillage philosophique choquait Jules

occupé à brûler les mauvaises herbes et les orties que maman traquait avec acharnement.

« Comment tu peux dire de telles bêtises ? Nous sommes supérieurs aux arbres, aux fleurs, à toutes les plantes. Eux, ils ont leur temps de vie et puis c'est fini. Nous les humains nous vivons éternellement à travers nos enfants. J'ai un fils, qui a un fils, qui aura un fils... C'est ça ne pas mourir. » Il s'enflammait, voulait à tout prix me convaincre. Comme je n'étais pas suffi- samment gagnée à cette profession de foi, il s'emportait : « D'abord tu devrais te marier et avoir des enfants. Il y a beaucoup de choses que tu comprendrais mieux. À quoi ça te sert, le cinéma ? Si tu ne te prolonges pas par un enfant, tu t'éteindras comme ces fleurs. » Il me désignait quelques malheureux zinnias déjà bien amochés par les averses de la veille.

Je n'ai oublié ni ses paroles, ni son teint rouge et animé, ni son épaisse chevelure bouclée jadis noire, puis grise, puis blanche. Ni même sa façon de se tenir, les mains jointes sur le manche d'une fourche momentanément plan- tée dans le sol sablonneux.

Maman m'annonça qu'elle avait prévenu Madeleine de ma présence et qu'elle viendrait me voir tout de suite après le déjeuner.

J'attendais sa visite avec appréhension. Je m'en voulais. Je savais que d'une certaine façon je l'avais abandonnée en refusant d'aller à

Vémars. C'était comme si des années et des années durant je l'avais enfouie dans un coin de ma mémoire

Madeleine était déjà en larmes quand elle gravit les marches du perron qui menaient à la cuisine. Ces retrouvailles la bouleversaient et puis elle avait toujours aimé pleurer.

Comme je l'aperçus la première, j'eus le temps de constater qu'elle avait beaucoup maigri et, à ma grande surprise, qu'elle était de très petite taille : une brindille vêtue de noir, menue, si menue.

Nous nous embrassâmes comme jadis, des dizaines de fois C'est moi aujourd'hui qui la tenait tout entière dans mes bras. Comme jadis encore elle m'appelait « son bébé » et cela me causait une gêne dont j'avais honte. Par instants elle se dégageait pour mieux essuyer ses larmes et se moucher. « Comme tu es devenue une belle femme ! Tu sais que ta maman m'envoie des photos de toi dans tes films, des articles ? C'est mes trésors comme les photos de Pierrot et toi quand vous étiez petits. Tu te rappelles les contes de fées dans mon lit, du temps de La Belotte ? Tes préférés c'étaient *Barbe-Bleue* et *Serpentin-Vert*. Je pouvais te les lire vingt fois de suite, tu ne t'en lassais pas... Et *L'Oiseau bleu* aussi ! Comment c'était cette prière que tu aimais tant ? — *Oiseau bleu couleur du temps, vole à moi promptement* », récitai-je sans l'ombre d'une hésitation.

D'évoquer le passé déclencha un nouvel afflux de larmes dont elle s'excusait : « C'est rien, c'est rien, c'est du bonheur. » Moi je voyais son visage raviné et sa bouche où manquait maintenant la moitié des dents. Sa minuscule silhouette. Alors je la repris dans mes bras et tentai de lui dire des choses douces.

Je lui jurai qu'elle avait été la bonne fée de ma petite enfance, la seule qui avait su m'apporter la joie, la chaleur et la tendresse. Je lui jurai encore que je ne l'oublierais jamais ; que je me souviendrais toujours de la danse des papillons, de ses querelles avec la terrible Anna et des chattes balancées dehors. Madeleine brusquement retrouva son rire d'autrefois pour imiter le cri de guerre de son ennemie : « Sapristi de chats ! » « Sapristi d'enfants ! » répétai-je mêlant mon rire au sien.

Quand elle s'en alla, je lui promis de revenir la voir, de lui envoyer des cartes postales. Je crois que j'aurais promis n'importe quoi pour qu'elle s'éloigne, pour que cesse cet entretien qui me déchirait le cœur.

Je la suivis des yeux alors qu'elle descendait lentement le chemin caillouteux qui menait au portail. Une petite femme courbée, essoufflée, qu'une bourrasque soudaine aurait pu renverser. Et je me mis à pleurer à mon tour. Sur elle, sur moi, sur le temps qui passe. Sur sa vieillesse prématurée et sur le parfum de mort qui semblait l'escorter comme un halo.

Arrivée au portail, elle se retourna vers la maison rose et agita les bras en signe d'adieu. Je savais qu'elle voyait mal. J'ouvris la fenêtre et agitai les miens à mon tour. Me distinguait-elle ? J'étais sûre qu'elle savait que j'étais là. Dans son esprit tendre et simple, je demeurais toujours la petite fille qui la regardait jusqu'au dernier moment, jusqu'à ce qu'elle disparaisse. Comme lorsque enfant je la voyais s'échapper sur la pointe des pieds, un doigt sur les lèvres pour exiger mon silence, les yeux brillants d'excitation, avec déjà « les flonflons du bal » dans la tête. « Dors mon bébé, je viendrai t'embrasser à mon retour. » Et je m'endormais si confiante.

Madeleine est morte un an ou deux après sans que je puisse la revoir. Elle repose dans le petit cimetière de Vémars. Pas loin de Grand-mère, de Jeanne et François Mauriac. De maman.

III

MAUD

Il fallait que je lui dise, qu'elle sache à quel point mon père l'avait aimée. J'avais aussi envie de la rencontrer. Si elle acceptait, je pourrais m'excuser au nom de ma mère.

J'ai tout de suite été convaincue que maman n'avait pas respecté le testament de son mari et que Maud Jacquet, 29, rue des Moises, à Genève, n'avait pas reçu ce que lui léguait mon père, à savoir :

« Des boutons de manchettes en or qu'elle-même m'a donnés.

« Ma sacoche de voyage et son contenu.

« Un disque de ma discothèque par Édith Piaf intitulé *Hymne à l'amour.*

« La montre que j'ai habituellement au poignet (si elle ne disparaît pas avec moi).

« Tout ce qui, pris dans mon bureau, aura été pris, pour le lui remettre par M. Marmol.

« Une grande mèche de mes cheveux. »

J'en avais tout d'abord parlé au téléphone avec

mon oncle Jean. Il ne se souvenait de rien : « C'est si loin, la mort de ton père. » Et parce que j'insistais, parce que je lui rappelais qu'il était le frère chéri de ma mère, son principal soutien, celui qui prenait la plupart des décisions à sa place : « Je ne vois pas pourquoi tu t'intéresses à quelque chose qui a eu lieu il y a trente ans. Mais je peux te dire que je n'imagine pas ta mère faire un paquet de ces objets et s'en aller le porter à la poste, tout ça pour une femme inconnue et qui était tout de même la maîtresse de ton père au cas où ce détail t'aurait échappé. » Il devine que je peux utiliser contre ma mère cette opinion hâtive, lâchée sans réfléchir (mon oncle est un homme très prudent) : « Ce que je peux te dire, c'est que moi je ne l'aurais pas fait et que trente ans après, je nous approuve et l'un et l'autre de ne pas nous être intéressés à cette... ; comment tu l'appelles déjà ? — Maud Jacquet. » Le ton de sa voix est irrité. Je le sens si près d'abréger cette conversation que je me dépêche de lui dire ce que j'ai sur le cœur : « Mais enfin..., un testament c'est fait pour être respecté. Les volontés de papa étaient claires, très insistantes, très... » Il m'interrompt d'un rire sec. « Ma pauvre Anne, mais qu'est-ce que tu crois ? À quoi tu rêves ? Les testaments sont faits pour ne pas être respectés... Tout le monde sait ça ! »

Son cynisme me ramène des années en arrière, à Vémars. Je redeviens la jeune fille que deux oncles un peu pervers s'amusaient à choquer. J'en bafouille : « C'est pas vrai, il faut respecter les volontés d'un testament... Cette femme devait savoir... C'est mal que ni toi ni maman ne l'ayez prévenue... » Et mon oncle avec un mélange de sécheresse et de légèreté : « Si tu essaies de me culpabiliser, je peux t'assurer tout de suite que tu t'y casseras les dents. Personne au monde ne peut me culpabiliser. Et si tu veux savoir le fond de ma pensée, eh bien je m'en fiche de ton père et de son testament. » Il ne nous restait plus qu'à raccrocher.

Maintenant ma décision était prise : même trente ans après, je me devais de faire parvenir cet ultime message à Maud Jacquet.

Comment allais-je m'y prendre ? Au moins vivait-elle encore comme je l'espérais tant ? Dans quelle ville ? À quelle adresse ? Qu'était-elle devenue ? Était-elle mariée ? veuve ? célibataire ? Seule ou entourée d'une nombreuse famille ? J'en parlais à une amie qui alerta un journaliste de Genève. Notre détective privé fut rapide : il y avait toujours au 29, rue des Moises, une dame appelée Maud Jacquet. Ainsi, plus de trente ans après, elle était là, à la même adresse...

Je lui écrivis en recopiant les passages du testament la concernant.

Un dimanche soir, alors que je regardais un

film à la télévision, le téléphone sonna dans mon petit bureau. Je décrochais sans méfiance. À cette heure-là, ce ne pouvait être que quelqu'un de très proche.

Une voix hésitante me demanda si elle était bien à tel numéro et au domicile d'Anne Wiazemsky. Mon nom russe, aussi difficile à retenir qu'à prononcer, fut dit sans la moindre hésitation, comme un nom familier, avec même quelque chose d'affectueux. Je répondis par l'affirmative et la voix prit de l'assurance : « Je suis Maud Jacquet et je viens de lire votre lettre... »

C'était une jolie voix, posée, calme et féminine. Parfaitement maîtrisée. Elle me dit son émotion et sa surprise : elle ignorait l'existence de ce testament, c'était un grand bonheur d'apprendre que « Wia avait pensé à elle jusqu'au bout ». « Mais je vous répondrai mieux par écrit. Vous recevrez ma lettre dans un jour ou deux. » Et sur un autre ton plus doux, plus intime : « Encore merci, Anne, je vous embrasse. — Je vous embrasse aussi... » Si ma phrase resta en suspens c'est que je ne sus choisir entre « madame », trop cérémonieux, ou « Maud », trop familier.

Le taxi roule en silence dans un Paris vide et endormi. Il fait nuit en ce lundi de mars, la radio diffuse les horoscopes du jour et j'ai encore en mémoire la frimousse ahurie de la chatte lorsque, à cinq heures trente, la sonnerie du réveil m'avait jetée hors du lit. Elle m'avait regardée me préparer et faire le café avec une comique incompréhension. Elle en aurait même oublié de réclamer à manger, ce qui, si on la connaît, paraît inimaginable.

Beaucoup de monde à la gare des T.G.V. : des hommes d'affaires, des skieurs, des colonies d'enfants encadrées par des monitrices débordées, des clochards et une mendiante, assise contre un poteau, un bébé collé au sein. Au milieu de cette foule un vendeur du journal *Réverbère* apporte une exceptionnelle note de gaieté. À l'inverse de beaucoup d'autres, il vante si bien sa marchandise qu'on le dirait sorti tout droit de la chanson de Gilbert Bécaud, *Les Marchés de Provence.*

Je remonte à l'air libre. Quai 21, le jour se lève dans une lumière rose et bleutée. Avec cette légère brume qui tarde à se dissiper, la gare de Lyon prend des airs de Venise. Une multitude d'oiseaux saluent à leur manière la naissance du jour. Tout cela me paraît de bon augure. Je ne sais pas au-devant de quoi je vais et comment se passera ma rencontre avec Maud Jacquet. Mais quelque chose me pousse qui n'est pas seulement de la curiosité et ce désir premier de m'excuser au nom de ma mère. C'est plus étrange, plus souterrain. Comme si quelqu'un le souhaitait et que ce bref voyage, je le faisais à sa place.

Dans mon sac il y a la lettre de Maud Jacquet que je connais presque par cœur à force de l'avoir lue et relue et qui se termine par cette invitation : « Pourquoi ne viendriez-vous pas me voir ? »

L'écriture, haute, claire et ferme, le ton de sa lettre, ressemblent à la voix entendue au téléphone Une femme commence à se dessiner que j'imagine pleine de retenue, mais aussi volontaire et féminine. Quelqu'un qui « sait se tenir » comme on dit chez les Mauriac. Quelqu'un d'élégant, en tout cas. N'a-t-elle pas spontanément et immédiatement excusé ma mère de l'avoir « oubliée » ?

Maud m'avait donné rendez-vous à onze heures trente chez elle. Ce n'était pas loin de la gare mais elle m'avait conseillé de prendre un taxi. « Sinon vous risqueriez de vous perdre. »

J'ai suivi ses recommandations et quand je suis descendue devant le 29 rue des Moises, j'avais une bonne vingtaine de minutes d'avance. Je les employai à chercher un fleuriste et à me promener dans cette partie de Genève où je n'étais jamais venue, dont j'ignorais même l'existence.

Que pensait mon père de ces immeubles, tous

semblables, un peu tristes peut-être, mais bâtis dans un grand parc ? Trouvait-il un charme particulier à ce lieu pour la seule raison que Maud y vivait ? Je l'imagine en train de scruter ses fenêtres, puis monter au pas de course l'escalier un bouquet de fleurs à la main. (Il aimait offrir des fleurs. Toutes les semaines il en apportait des brassées à maman, car nous disait-il : « Votre mère a deux talents : la photo et les bouquets. »)

Dans les prairies autour de moi, d'énormes crocus, jaunes, blancs, mauves et violets. Exactement les mêmes que ceux de mon enfance. Et je repense à Jules, le jardinier de Vémars, qui se fâchait quand je lui affirmais : « Le printemps suisse est toujours en avance sur le français et les crocus beaucoup plus beaux. » Il m'accusait de parti pris helvétique et me rappelait que j'étais une petite fille française. « Oui, mais à moitié russe », ripostais-je pour avoir le dernier mot. Jules haussait les épaules et poussait sa brouette plus loin : c'était trop compliqué pour lui.

Maud Jacquet m'ouvre la porte. Nous nous dévisageons en silence, avec curiosité, hésitant entre la poignée de main et quelque chose d'emblée plus affectueux. Un jeune chat tigré bondit derrière elle et fait diversion. « Entrez, entrez donc. » Elle m'introduit dans un salon surchargé de meubles, de gravures, de livres, de coussins brodés et de bibelots — en grande majorité des figures de chats. De l'autre côté des deux fenêtres, les branches d'un marronnier se balancent doucement. Je me trouve dans un appartement de femme en face d'une femme très féminine. D'une féminité travaillée, minutieuse et qui me surprend : je me l'imaginais autrement. Comment ? J'aurais bien été incapable de le dire. Mais pas comme ça.

La femme qui m'invite maintenant à m'asseoir sur le canapé est de taille moyenne, très mince, moulée dans une étroite et courte robe en tissu léopard. Ses jambes sont ravissantes : longues, fines, très jeunes et fort bien mises en valeur par des bas fumés et d'élégants escarpins de daim beige. Elle est aussi très maquillée et très blonde. Une blondeur vaporeuse qui lui donne des airs de star hollywoodienne : Lauren Bacall, par exemple, que j'avais par hasard surprise en train de s'acheter toute une série de savons dans une pharmacie du septième arrondissement.

— Vous fumez ?

Ses mains soignées aux ongles longs et rouges me tendent un paquet de Chesterfield. Mon refus paraît l'attrister.

— Quel dommage pour vous ! Je sais que c'est mauvais pour la santé mais pour rien au monde je ne songerais à m'en passer !

Elle en allume une et je reconnais aussitôt l'arôme des cigarettes de maman. Autre chose me la rappelle encore que j'ai plus de mal à identifier. Son parfum, en fait. Maman utilisait le même. Je demande à Maud : « Dior ? — Je ne porte que celui-là. Pourquoi, vous n'aimez pas ? » Je la rassure et pense à ma mère dont je crois entendre les récriminations : « Ton père a la manie de faire ses cadeaux en double. Quand je vois au cou d'une de ses maîtresses la réplique du collier qu'il vient de m'offrir, je suis folle de rage. De quoi j'ai l'air ? »

— Votre père était un homme merveilleux.

Son charme était irrésistible. Il plaisait aux hommes comme aux femmes. Tout le monde l'aimait, à Genève. Sa mort nous a bouleversés...

— Vous l'avez su quand ?

— Oh, tout de suite ! J'étais allée le voir après son opération à la clinique de Genève, au mois de juin. Je ne savais encore rien mais j'ai deviné que c'était grave et que les paroles rassurantes des médecins avaient pour seul but de le rassurer, lui. Il avait d'horribles cicatrices, on l'avait ouvert de part en part...

Maud tire une longue bouffée de cigarette qu'elle rejette par les narines. Avec sa tête renversée en arrière, son casque de cheveux blonds et sa façon de se tenir le dos droit et les épaules abaissées, elle m'évoque de plus en plus Hollywood et Lauren Bacall. Les jambes croisées à mi-cuisse renforcent cette image. Elle a un rire de gorge.

— Ses cicatrices..., ses fichues cicatrices. Il nous les montrait pour un oui ou pour un non. Il ne faisait pas ça avec vous ?

Non. Il m'est seulement arrivé de les apercevoir quand il omettait de boutonner la veste de son pyjama. Mais Maud a raison : « On l'avait ouvert de part en part. » Et l'espace de quelques secondes je retrouve le buste amaigri et bardé de cicatrices de mon père. Si effrayantes que je détournais la tête pour ne plus les voir. Le frisson d'horreur qui me secouait jadis me secoue maintenant sur le canapé de Maud. À peine atténué.

Maud poursuit :

— Un mois ou deux après son opération, il est revenu à Genève, seul, sans votre mère, pour offrir à tous ses amis du CIME, l'organisme pour le compte duquel il travaillait, un grand dîner à l'hôtel Richemond. Il avait encore beaucoup maigri et s'appuyait sur une canne. Il avait l'air d'un petit vieux malade. J'ai compris qu'il allait mourir, bientôt. D'ailleurs, je savais la vérité, Tom, son meilleur ami m'avait prévenue comme il me préviendra après de sa mort. Votre père a été très gentil avec moi, très tendre. C'est la dernière fois que je l'ai vu.

Maud s'exprime sans émotion apparente. Elle rassemble ses souvenirs et tâche de me les raconter sans rien omettre. Ce souci d'exactitude, cette volonté de ne rien enjoliver, me frapperont tout au long de la journée. Maud est une femme qui semble regarder calmement son passé quitte à réveiller quelques blessures sur lesquelles elle restera très discrète et que je devinerai à une altération de la voix, à un durcissement de la bouche.

— Pourquoi dites-vous que lors de cette dernière rencontre, il était « très gentil et très tendre » ? C'était normal.

154

— Oui et non. Je l'avais quitté depuis plus d'un an. Deux peut-être.

Et devant mon visage interrogatif :

— Entre lui et moi ce fut une drôle d'histoire. Je l'ai connu dans les années cinquante. Il était l'amant de ma meilleure amie et je l'accompagnais aux fêtes données par vos parents dans leur maison de La Capite. Je me souviens très bien de vous et de votre frère, Pierre. Vous étiez petits mais si mignons, si disposés à vous amuser... En je ne sais plus quelle année, j'ai suivi un Américain en Amérique et nous nous sommes mariés. Peu de temps après vous quittiez vous aussi la Suisse pour Caracas. Wia est venu un jour nous rendre visite, lors d'un de ses voyages d'affaires. C'est là que tout a commencé, cette passion qui allait durer presque dix ans... On se voyait peu à cause des distances, mais si intensément ! Parfois chez moi, parfois à Paris, parfois à Genève. Il voulait vivre avec moi. Il me disait que j'étais la femme de sa vie. Mais je me doutais qu'il ne serait pas capable de divorcer. D'ailleurs est-ce que je le souhaitais vraiment ? Finalement, c'est moi qui ai divorcé.

— À cause de mon père ?

— Oui et non. Honnêtement plutôt non. Je détestais cette situation de mensonges et mon mari m'était devenu étranger : nous n'avions jamais eu grand-chose en commun, lui et moi.

Alors j'ai demandé le divorce et suis revenue à Genève, vivre dans cet appartement que louait ma mère. J'ai trouvé du travail.

— Et mon père ?

— Il était enchanté de ma nouvelle liberté. Il venait plus souvent me voir. Ma mère et ma sœur l'aimaient beaucoup. Vous saviez qu'il a fait le voyage Caracas-Genève pour assister au mariage de ma sœur ? Je vous montrerai des photos, tout à l'heure après le déjeuner.

Maud jette à son chaton un paquet de Chesterfield vide roulé en boule. Elle en ouvre un autre.

— Quant au reste... je crois qu'il ne savait pas lui-même ce qu'il voulait... vivre avec moi ou pas... Alors j'ai rencontré un autre homme et je l'ai quitté. J'étais jeune encore... Pouvez-vous comprendre ça ?

Si je ne réponds pas à sa question, c'est que je pense à ma mère. Je l'entends me raconter un certain épisode sur lequel elle revenait souvent, peut-être parce qu'elle y trouvait un beau rôle. C'est son point de vue que je rapporte ici.

Selon elle, mon père avait une maîtresse en Amérique qu'il adorait et qui un jour rompit avec lui. Il était si désespéré qu'il pleurait toute la journée ce qui exaspérait ma mère. « Elle voudrait que je divorce pour l'épouser, se lamentait-il. Mais je ne peux pas... » Un soir, il brandit un revolver et annonça que ne pouvant sortir de ce conflit intérieur, il préférait se tuer. Panique chez ma mère qui lui conseilla aussitôt — et à mon avis très sincèrement — de divorcer. Mais toujours il refusait. Ses arguments étaient moins ceux d'un amoureux que d'un conservateur : il était chef de famille et responsable d'une femme et de deux jeunes enfants. Et puis un prince Wiazemsky ne divorce pas. Maman plaida, puisant ses arguments dans son expérience personnelle et — je l'imagine volontiers — dans les chansons de Piaf. Quelque chose dans le style « sans amour on est rien du tout ». « Mais j'aime aussi ma famille ! » répondait mon père en jouant avec le revolver. J'ignore jusqu'à quelle heure de la nuit cette discussion les mena mais mon père finit par renoncer à son projet de suicide. Il gagnait deux ans de vie puisque le cancer allait le rattraper en 1963...

Je raconte cette histoire à Maud qui s'en étonne.

— Votre mère était d'accord pour divorcer ? Vous êtes sûre ? Il me disait que jamais elle n'accepterait de...

Elle se tait, troublée. Pas longtemps. « Et il voulait se tuer ? Pour moi ? Par désespoir ? Avec un revolver ? Je ne l'ai jamais su. Quel dommage ! » Mon imagination romanesque se jette sur ce qui semble être du regret. « Ça aurait changé quelque chose ? Vous lui seriez revenue ? » Maud me regarde avec étonnement. « Bien sûr que non. Quand je prends une décision, je m'y tiens. » Sa bouche esquisse une amorce de sourire. « Mais tout de même... J'aurais aimé savoir sur le moment qu'il voulait se suicider pour moi. — C'est très russe ce genre de scène, dis-je. Et puis il avait dû forcer sur le gin. » Le sourire de Maud s'affirme. « Ah, le gin ! Nous buvions beaucoup de martini-gin, nous adorions ça ! Mon mari les faisait à la perfection, je dois au moins lui reconnaître cette qualité. »

Elle réfléchit, se concentre, si sérieuse et si comme il faut dans sa robe léopard.

— Vous avez raison, votre père était très russe : follement passionné, généreux, mais aussi anxieux, agité, ne tenant pas en place, fumant sans arrêt. Lui si joyeux, si plein d'énergie, pouvait brusquement se fermer et se taire très longtemps, refusant de répondre à mes questions. Je me souviens d'un jour où il était venu me rejoindre à Genève. Nous dînions à l'hôtel Richemond et quelque chose le tracassait. Il ne disait rien, ne répondait à aucune de mes questions. J'étais furieuse et angoissée. Tant et si bien que vers le milieu du repas, je me suis levée et suis rentrée chez moi. Et vous savez ce qui s'est passé ?

— ..

— Il est revenu à six heures du matin après avoir vraisemblablement erré toute la nuit dans Genève, fumant, buvant. Il s'est couché sans me dire un mot, sans me toucher et s'est endormi tout de suite. Au réveil, il était de nouveau amoureux et plein d'entrain. Je n'ai jamais su ce qu'il avait eu. Jamais.

Pourquoi cette image de mon père déambulant solitaire dans les rues désertes de Genève me touche-t-elle tant ? Cette grande silhouette aux épaules un peu voûtées qui s'en va à la recherche d'un bar encore ouvert ne me semble pas seulement émouvante mais juste. Avec quels démons se battait-il cette nuit-là ? La problématique du divorce et l'âme russe toujours tourmentée n'expliquent pas tout. Parfois j'ai envie de prendre mon téléphone pour l'inviter à déjeuner. « Tu me raconteras tout. Pourquoi tu étais comme ça ? et comme ça ? et encore comme ça ? »

Maud me voit songeuse. Elle craint de m'avoir donné une fausse idée de mon père et rectifie : « Je viens de vous raconter un de ses moments bizarres... Mais ils étaient rares. La plupart du temps nous nous amusions beaucoup. Vous ne pouvez savoir comme on riait ! Nous nous disputions aussi pour des broutilles... »

Elle a une courte hésitation comme si elle évaluait ma capacité à en entendre un peu plus. Je lui souris en caressant le chaton tigré qui joue maintenant avec la boucle de ma ceinture. Un sourire confiant qui l'encourage à poursuivre.

— Nous étions des amants passionnés. Wia me disait que j'étais la femme de sa vie, son grand amour. Il parlait de vie commune. Moi, j'avais peur du quotidien qui tue l'amour. Ça l'agaçait et alors il pouvait devenir très casse-pieds ! Mais nous n'étions jamais fâchés longtemps. Il était si généreux votre père, si amoureux ! Il m'écrivait tous les jours de longues lettres enflammées. Où trouvait-il le temps ? Moi qui ne travaillais pas encore, je ne pouvais pas suivre le rythme. Et vous imaginez un peu les difficultés avec mon mari ? Durant la semaine le gardien interceptait les lettres de Wia et me les remettait en main propre. Mais le samedi, il n'était pas là. Pendant presque dix ans j'ai eu peur le samedi !

— Et vous, vous lui écriviez ?

— Je viens de vous le dire, je ne pouvais pas suivre ce rythme. Au mieux, c'était une ou deux fois par semaine... Il en souffrait, je crois. J'écrivais à son bureau, pas chez vous, jamais.

Elle a un court moment d'attendrissement vite maîtrisé.

— J'ai des malles et des malles de lettres de lui dans la cave. Et si nous allions déjeuner ? J'ai pensé que vous aimeriez revenir à Cologny. Vous êtes allée au restaurant de Cologny avec vos parents ? La vue sur le lac est ravissante et c'est bon. Votre père aimait beaucoup.

Nous voilà donc parties pour Cologny.

Maud s'est frileusement enveloppée dans un confortable manteau de fourrure. Sous le soleil, elle me paraît plus fatiguée, plus vulnérable. Elle me demande de lui tenir le bras pour l'aider à descendre les quelques marches qui conduisent au jardin, puis au parking. « J'ai des douleurs de plus en plus fréquentes dans la hanche. Ça me gêne beaucoup pour marcher. Il paraît que ça s'opère mais je déteste les hôpitaux. Et ne me dites pas comme mon médecin que je devrais me servir d'une canne ! Pouah, quelle horreur ! J'aurais l'air d'une petite vieille malade ! » Elle s'inquiète pour sa voiture. « Je ne me souviens plus où je l'ai garée. » Ses yeux se plissent. « Je suis myope comme une taupe. Aidez-moi à la trouver. C'est une vieille anglaise de couleur crème. »

Nous finissons par retrouver l'Austin. Maud s'installe au volant et sort de son sac une paire de lunettes en forme de papillon et à la monture rose fluo. L'effet est saisissant. « J'ai horreur de porter des lunettes, cela me vieillit terriblement. J'ai bien essayé les lentilles de contact mais je les ai toutes égarées. J'en ai même avalée une qui était tombée dans mon martini-gin. Je peux vous assurer que c'est très désagréable ! »

Le pont du Mont-Blanc, l'île Jean-Jacques-Rousseau, l'horloge florale, des gens qui prennent le soleil le long des berges. Il fait délicieusement beau et Genève ressemble à une carte postale en couleurs.

J'ai toujours aimé revenir à Genève.

Présenter mes livres, les voir exposés au Grand Passage, me procure un intense plaisir.

Le Grand Passage est pour moi un endroit à jamais mythique. Maman l'utilisait pour justifier ses fugues plusieurs après-midi par semaine quand elle allait retrouver J.-F. « Mais où vas-tu encore ? — Faire des courses au Grand Passage. » Elle ne manquait jamais d'ajouter : « Qu'est-ce que vous voulez que je vous ramène ? — Un cow-boy, un Indien ou les deux », réclamait aussitôt mon petit frère. Maman se tournait alors vers moi : « Et toi ? — Rien. » Mais chaque fois j'espérais qu'elle allait revenir avec un cadeau choisi avec soin, et qui me conviendrait bien mieux que tout ce que j'aurais pu lui demander. Bien sûr, chaque fois j'étais déçue. Mon frère, lui, se constituait une impressionnante collection de cow-boys et d'Indiens, bientôt rejoints par des pompiers et des soldats.

Plus tard, quand je lui rappelais ces épisodes de l'enfance, maman était navrée : « Comment voulais-tu que je comprenne que dans ce "rien" il y avait "tout" ? Tu étais si mutique. Je ne savais jamais à quoi tu pensais quand tu me regardais. D'ailleurs, je peux te le dire maintenant, parfois tu me mettais terriblement mal à l'aise : je me sentais jugée. Tu étais une petite fille trop énigmatique pour moi. Alors qu'avec ton frère tout était merveilleusement simple. »

Au restaurant Maud garde son manteau de fourrure. « J'ai toujours froid. » Elle commande deux coupes de champagne et un repas auquel elle ne touchera guère. Moi, je mange et bois avec appétit. J'ai l'impression de me promener dans un rêve, de patiner agréablement entre le réel et l'irréel.

Une légère brume voile le lac et donne au paysage les couleurs exactes de jadis. Maud doit avoir raison, je suis déjà venue dans ce restaurant dont je crois reconnaître l'immuable style années cinquante.

Beaucoup de convives. Un groupe d'hommes déjeune en échangeant des informations d'une voix mesurée. Ils ont une façon si caractéristique de boire et de manger... Cette lenteur suisse que mon frère et moi avions acquise, cet accent... Cela faisait la joie de nos grands-parents et de nos oncles et tantes. « Racontez-nous une histoire, petits enfants », nous demandaient-ils à peine étions-nous arrivés à Paris. Pour se tordre de rire dès nos premières paroles. Mon frère et moi quittions alors le salon, vexés comme des poux, en nous jurant de « ne plus jamais, jamais, jamais leur parler ».

À une autre table une jolie blonde dévore une pintade aux choux tandis que son compagnon colle ses jambes aux siennes. Elle a un rire heureux qui me rappelle un autre rire.

— Vous êtes venue ici avec vos parents ? me demande Maud.

— Je crois bien.

— Ce sont des souvenirs heureux ?

— Pas exactement.

Comment lui expliquer sans avoir l'air de critiquer mes parents ? À l'hôtel-restaurant de La Belotte, à Cologny ou ailleurs, il y avait une absurde inadéquation entre eux. Mon père pensait nous faire très plaisir en nous invitant dans un bon et joli restaurant. Il aimait bien boire, bien manger. Il s'amusait à observer les autres convives, faisait du charme à toutes les serveuses qu'elles soient belles ou laides, jeunes ou vieilles. Maman, à l'inverse, n'aimait ni boire ni manger. Alors elle fumait Chesterfield sur Chestefield avec des mines d'enfant puni. Cela se passait mieux quand certains de leurs amis se joignaient à nous.

— Parfois nous sortions avec la petite amie de papa. Elle était très gaie et riait comme cette jeune femme, là-bas, près de la fenêtre...

Maud se tourne dans la direction que je lui indique. Ses yeux de myope, vagues et concentrés, font le tour du restaurant. Elle ressort brièvement ses lunettes roses.

— De quelle petite amie parlez-vous ?

— Vous ne l'avez peut-être pas connue. Une très jolie fille, ronde, pulpeuse, avec des airs de Marilyn Monroe. Je me souviens encore de son prénom, Vivianne.

— Vivianne ? Bien sûr que j'ai connu Vivianne ! C'était ma meilleure amie. C'est par elle que j'ai rencontré votre père... Mais des airs de Marilyn Monroe, alors là vous l'idéalisez ! Beaucoup plus commune que ça... Enfin, elle sera très flattée quand je lui dirai le souvenir que vous conservez d'elle. Marilyn Monroe !

— Qu'est-elle devenue ?

— Elle va très bien. Elle a fait un très riche mariage. Sa vie n'a été qu'une suite de gâteries, de plaisirs, de voyages autour du monde. Quand il fait chaud, elle m'invite à venir la rejoindre dans sa piscine. Elle s'est fait construire une très luxueuse maison entre La Capite et La Belotte, près du collège Notre-Dame-du-Lac. Je vous montrerai tout à l'heure quand nous regagnerons Genève.

Pas d'amertume chez Maud. Mais à son ton soudain las, je comprends que sa vie actuelle n'est pas facile, à supposer même qu'elle l'ait été autrefois. Elle vit seule, sans enfants et ne possède aucune fortune personnelle. Son appartement de la rue des Moises, elle le loue avec sa modeste retraite de fonctionnaire. Se plaindre, récriminer, ne lui ressemble pas. Si Maud n'était pas suisse, elle serait britannique. À cause du fameux « Never explain, never complain ». Et pour bien m'en convaincre, elle me raconte avec humour les parties de cartes qui l'opposent à de vieilles copines, toutes veuves. « Évidemment, ça manque d'hommes », conclut-elle.

— Revenons à Genève par La Capite, propose Maud.
Elle me commente un paysage que je ne reconnais pas. Sur des collines jadis champêtres s'élèvent maintenant de très riches villas et des immeubles de prestige. Pas un mètre carré qui ait été oublié. « C'est un des endroits les plus prisés de la banlieue proche de Genève. Un peu l'équivalent de votre Neuilly », explique Maud.
À La Capite, elle gare sa voiture en contrebas de ce qui fut notre maison. Sur la façade extérieure s'étalent les ramifications d'une immense glycine. Je me souviens combien maman en prenait soin et le bonheur que me procurait son parfum, à la belle saison. Beaucoup plus modeste, elle encerclait alors avec grâce et dis-

crétion la porte d'entrée. Plus de trente ans après, je suis contente de la retrouver aussi puissante, aussi vigoureuse.

— Pour moi, cette maison, dit Maud, c'était la maison du bonheur et de la fête. Nous adorions tous y venir dès la fin de la semaine. On jouait au volley-ball, on mangeait, on buvait du bon vin rosé et on dansait jusque tard dans la nuit. Tout le monde était heureux, détendu. Votre père, adorable et adoré. Votre mère, si belle et si particulière. C'était une maison bienfaisante. Quel dommage que vous n'ayez pas connu ça !

— Mais j'ai connu ! Je regardais tout du haut de l'escalier !

— Pas longtemps. Vos parents vous envoyaient très vite vous coucher.

Je proteste. Je restais tard sur mon escalier. D'ailleurs on finissait par m'oublier et je m'endormais alors sur la dernière marche. En fin de soirée il y avait toujours quelqu'un qui montait au premier étage se rafraîchir dans la salle de bains et qui me prenait dans ses bras pour me déposer dans mon lit. Le lendemain matin, maman feignait de se fâcher : « Pablo t'a encore couchée ! L'autre fois, c'était Mercedes et la fois d'avant Jeannot ou Boris. Tu exagères ! » Par gentillesse, Maud renonce à me contredire. Elle doit respecter les souvenirs des autres, si exagérés soient-ils.

— Ça vous ennuie si je vous attends dans la voiture ? Ma hanche...

Je m'en vais faire quelques pas dans l'allée privée qui longe la maison. Rien n'a changé. Sur le balcon j'aperçois un tricycle. Dans la prairie, un ballon et des jouets d'enfants. Et aux branches de *mon cerisier*, une balançoire. Seuls les volets sont d'une autre couleur : un bleu pimpant plus breton qu'helvétique. Je n'éprouve pas d'émotion particulière mais une impression de plus en plus forte d'irréalité. Je pourrais me réveiller dans mon lit, à Paris, avoir rêvé cette journée avec l'amie de mon père.

Un kilomètre plus bas, c'est Vésenaz. Maud me dit :

— Je suis née à Vésenaz. J'y vivais quand j'ai fait connaissance avec vos parents. Je venais à pied à leurs fêtes et m'en retournais de même. C'était bien pratique !

Vésenaz me ramène à Madeleine qu'elle n'a pas connue. J'évoque son idylle avec le fils du boucher.

— Impossible ! Il était marié et très peu porté sur la chose. Le soupirant de votre Madeleine devait être un de ses commis... Ou bien elle mentait, ou bien c'est votre mémoire qui vous joue des tours.

Je la trouve trop catégorique.

— Et si c'était le patron lui-même qui était amoureux de Madeleine ?

— M. Bernuchon ? Si vous l'aviez connu comme je l'ai connu, vous ririez de vos questions !

J'ai envie de lui raconter à quel point Madeleine était irrésistible, de lui assener une phrase idiote genre : « Madeleine en aurait fait une bouchée de votre boucher, si vertueux fût-il. » Mais je ne le fais pas. Qu'est-ce qui me prend, tout à coup ? C'est comme si le fantôme charmant de Madeleine première époque m'adressait un clin d'œil. Un clin d'œil très complice et très coquin. Et de penser *in petto* : « C'est Maud qui se trompe, ma Madeleine. Il était à tes pieds, ce Bernuchon. »

Nous passons devant l'église où j'ai fait ma première communion. Jeanne et François Mauriac s'étaient déplacés exprès de Paris pour assister à la cérémonie religieuse. J'en avais été si fière que j'ai dû commettre là mon premier péché d'orgueil. Cette fierté d'enfant éclate sur une série de photos où mon grand-père et moi posons enlacés dans le jardin de notre maison.

Plus loin Maud ralentit et me désigne une sorte de grande demeure mi-chalet, mi-château. Une femme blonde, un sécateur à la main, se promène entre les rosiers. Elle porte un pantalon blanc moulant, un gros pull de mohair rose et des gants de jardinage

— La voilà, votre Marilyn Monroe, me souffle Maud. Bien sûr elle s'est pas mal épaissie...

C'est vrai. Mais je l'aurais reconnue n'importe où. Malgré ses kilos, elle ressemble à la belle et joyeuse Vivianne de jadis. Toutefois, Maud a raison : avec la meilleure volonté du monde, cette dame n'a rien de Marilyn Monroe. Et elle, Maud, est-ce qu'elle m'évoque toujours Lauren Bacall ? Un peu moins. Peut-être ces invraisemblables lunettes en forme de papillon à la monture rose fluo...

— Vous souhaitez lui dire bonjour ? Elle en ferait une tête, Vivianne, en vous voyant !

Je consulte ma montre. Il est plus de quinze heures et mon train est à dix-sept heures. Maud a surpris mon geste.

— Vous avez raison, il ne nous reste plus tellement de temps et comme je tiens à vous montrer des photos de votre père...

Nous quittons le chemin de Ruth pour rejoindre la route qui longe le lac en direction de Genève. C'est à cet endroit-là, précisément, que J.-F. et Pablo se sont tués. Ou du moins c'est ce que j'ai toujours imaginé. Je pose la question à Maud.

— Oui, c'est là. L'accident le plus absurde du monde ! Juste avant il y a des platanes et juste après des murets de protection. Et puis comment ont-ils fait pour rester coincés, pour ne pas arriver à se dégager ? Il n'y avait pas de ceinture de sécurité, à l'époque ! Et Pablo, au moins, était un excellent nageur, un sportif ! Se noyer dans le lac de Genève, ici même, faut le faire ! J'ai toujours trouvé cette histoire suspecte... Je ne suis pas la seule d'ailleurs... À croire qu'ils l'ont fait exprès !

Les mains de Maud se sont crispees sur le volant mais le ton de sa voix reste égal.

— Vous pensez...

— Je ne pense rien. Je dis juste que c'est l'accident le plus absurde qui soit. Et puis pour tout vous dire, je ne l'ai pas pleuré J.-F., vous savez...

— Vous ne l'aimiez pas ?

— C'était un homme dur, ambitieux et très arrogant. Tout le contraire de votre père .. Si on avait eu le temps de bavarder avec Vivianne, ellè vous en aurait mieux parlé que moi. Elle a longtemps travaillé pour lui, elle le connaît bien et je peux vous dire qu'elle ne l'aime pas non plus. Mais paix à son âme et parlons d'autre chose !

La brume, sur le lac, s'est dissipée et les platanes se suivent maintenant à intervalles réguliers. Cette route m'a toujours semblé si rassurante, si protégée. Pourtant c'est là qu'a eu lieu le drame qui a fait basculer le destin de ma mère. De penser à sa souffrance me fait mal.

Heureusement, un autre souvenir vient faire écran. Il s'agit de Vivianne. De sa nudité.

Un jour on nous avait confiés à elle pour une partie de la journée. Elle vivait dans un coquet petit appartement, à Genève.

Mon frère et moi l'avions aidée à mettre la table pour le déjeuner, dans la cuisine. C'était l'été, il faisait chaud et Vivianne avait envie de prendre un bain. Elle nous demanda gentiment si on pouvait attendre un peu avant de manger et nous installa dans sa chambre avec des albums de *Bob et Bobette.*

La salle de bains était contiguë, la porte entrouverte et nous la vîmes entrer nue dans la baignoire. Alors, très naturellement mon frère se leva et ouvrit grand la porte. « Je peux regarder ? » Tout aussi naturellement, elle acquiesça. Il se tourna vers moi qui lisais *Le Fantôme espagnol.* « Viens aussi, toi. » Et nous nous retrouvâmes tous les deux assis à même le carrelage pour suivre les paisibles ablutions de Vivianne. Elle se tenait debout et frottait avec une éponge son grand corps bien plein, bien ferme. L'éponge passait sous ses bras, sur ses seins, descendait le long du ventre, entre les cuisses, sur les fesses. Sa toison très brune et très fournie m'intrigua : jamais encore je n'avais vu si nettement le sexe d'une grande personne.

Nous étions tous les trois très calmes. J'ignore

172

ce qu'éprouvait Vivianne devant ces deux petits enfants si sages, si attentifs. Nous, nous étions beaucoup plus respectueux que troublés.

— Votre lettre a ressuscité tout un passé, dit soudain Maud. C'est drôle mais depuis deux semaines je n'arrête pas de penser à Wia. Je m'aperçois que j'ai des zones d'ombre, d'oubli total, et tout à coup un événement important me revient, comme maintenant. J'ai rencontré avec lui votre grand-père, François Mauriac.

C'est si surprenant que je dois avoir l'air incrédule. Maud insiste.

— Vous vous demandez pourquoi ? Eh bien moi aussi ! J'avais rejoint clandestinement votre père à Paris où il avait lui-même rejoint votre mère. Un matin, sur le coup de dix heures, il débarque à mon hôtel, me demande de me faire belle et m'annonce qu'il veut me faire rencontrer François Mauriac ! Vous imaginez ma stupéfaction et ma panique ! J'admirais énormément François Mauriac, j'avais lu tous ses livres, mais de là à lui rendre visite... La volonté de votre père fut si forte que je le suivis plus morte que vive dans ce grand appartement dans le seizième, je crois...

— 38, avenue Théophile-Gautier.

— J'ai oublié. On a pris l'ascenseur, on a sonné. Une femme de chambre est venue nous ouvrir et nous a introduits dans le salon. Wia et moi étions debout, en attente. Moi affolée, lui très confiant, avec son bon sourire heureux, vous voyez lequel...

— Et alors ?

— Et alors, pas grand-chose ! Votre grand-père est entré. Wia m'a présentée sous mon vrai nom. Votre grand-père m'a serré la main, souhaité un agréable séjour à Paris et est ressorti aussitôt. Nous n'avions même pas eu le temps d'enlever nos manteaux ! Plusieurs fois après je lui ai demandé pourquoi il avait agi de la sorte. « Je voulais qu'il te voie, répondait-il. Tu étais très jolie ce matin-là. »

Et là encore j'ai envie d'appeler mon père au téléphone et de lui demander : « Pourquoi ? » Ma mère, mon frère et moi étions dans des pièces voisines. L'un de nous pouvait à tout instant entrer dans le salon et les surprendre. Mais ça, il ne devait même pas l'envisager. A-t-il vraiment cru dans son enthousiasme naïf de collégien amoureux qu'une complicité masculine pouvait tout à coup les rapprocher François Mauriac et lui ? Cher papa, si épris de Maud, si fier d'elle, si confiant et si irrémédiablement optimiste... Je suis sûre qu'il n'a jamais imaginé que François Mauriac s'était enfui tel un lièvre affolé !

Cette démarche que je ne comprends pas complètement lui ressemble tant que je suis très émue. Comme lorsque Maud me l'évoquait errant seul dans les rues de Genève, la nuit.

Touche par touche, sans même le vouloir, Maud me trace un portrait de lui que je sens d'instinct juste et vrai. Je retrouve la fraîcheur de mon père, sa naïveté, sa joie de vivre. Des aspects de lui que j'avais oubliés comme si sa terrible maladie avait à jamais effacé ce qu'il avait en lui de gai et d'excentrique.

— Le plus idiot, c'est que j'avais emporté dans mon sac un exemplaire du *Nœud de vipères* et que je n'ai même pas eu le temps de lui faire dédicacer ! se désole Maud.

Je joue avec le chaton tandis que Maud rassemble ses photos. Elle ne les trouve pas tout de suite, se cogne aux meubles, s'énerve et s'excuse : « Je croyais les avoir mises de côté pour vous. » La lumière de l'après-midi ajoute des teintes dorées aux murs de l'appartement. Aucune porte ne sépare le salon de la chambre à coucher. J'aperçois un grand lit dont les montants sont recouverts de tissu.

— Mon père dormait ici quand il venait vous voir ?

— Bien sûr.

— C'étaient les mêmes meubles ?

— Exactement les mêmes. Seule ma collection de chats a considérablement augmenté. Vous savez ce que c'est... D'abord des collègues de bureau vous en offrent... D'autres suivent et moi-même, il m'arrive d'en acheter quand ils ne sont pas trop chers. Ah !

Elle me rejoint sur le canapé avec une poignée de photos. Certaines sont abîmées, déchirées sur les bords. Elles ont dû séjourner dans différents sacs à main, trôner à la place d'honneur sur la table de nuit, dans le salon, partout. Pour regagner le fond caché d'un tiroir ou d'un carton quand Maud s'est retournée vers un autre homme.

— Ce portrait de Wia m'a suivi longtemps.

Je le connais. Maman avait le même. Papa en était si content qu'il l'avait offert à ses enfants, à sa sœur Nina, à ses cousines Tatiana et Missie, à tous ceux qu'il aimait. Chaque fois, de sa belle et ferme écriture, il traçait quelques mots affectueux. La dédicace que j'ai sous les yeux est très tendre, très amoureuse. Mais si je me souviens bien, celle de maman aussi. Souvent il se servait de ses portraits comme on se sert de cartes postales. Son écriture s'étalait alors recto et verso.

D'autres photos le représentent assis sur une plage, en maillot de bain, resplendissant de joie, si jeune. Son bras enlace les épaules nues d'une pulpeuse jeune femme brune, aux cheveux courts dont la beauté saine et confiante m'évoque Ingrid Bergman. Je ne peux cacher ma surprise.

— C'est vous ?

— J'ai tellement changé ?

Je bafouille une protestation que Maud interrompt aussitôt.

— C'était avant que je m'américanise. Un jour, j'ai décidé de laisser pousser mes cheveux et de devenir blonde. De me maquiller beaucoup comme le font les femmes américaines et je continue de le faire parce que je me plais mieux ainsi. Votre père a d'abord été surpris, puis il a adoré. Il me trouvait encore plus excitante en blonde.

La femme en robe léopard qui me donne des explications d'une voix sage et appliquée n'a plus rien à voir avec la brunette en maillot deux-pièces sur la plage. Mais elles ont en commun une certaine franchise. L'une dans le regard, l'autre dans sa façon de s'exprimer, de répondre à mes questions.

Maud contemple le cliché.

— Si Vivianne a grossi, moi j'ai beaucoup maigri. J'ai été malade, récemment...

Elle n'en dit pas plus et me désigne une série de photos qui les représentent mon père, elle et des chiens posant sur les marches en bois d'une très jolie maison.

— Ça, c'était chez mon mari, en Amérique. Wia adorait mes chiens qu'il considérait comme les siens. Quand ma chienne a eu des petits, il a sérieusement envisagé de vous en rapporter un. Je me souviens qu'il me disait que vous aussi vous adoriez les animaux. Et puis il a renoncé...

Trop compliqué à expliquer à votre mère... Mais si vous aviez vu avec quel amour et quelle émotion il a suivi l'accouchement de ma chienne !

Elle me cite des noms de chiens, des dates. Je n'écoute qu'à moitié, fascinée par ces images de mon père dans son autre vie. Dans une autre vie familiale qui plus est. Sur une photo, il donne tendrement le bras à la mère de Maud. Sur d'autres, il danse avec sa sœur lors de son mariage. Partout il a l'air heureux et chez lui. Il ne manque que des portraits d'enfants dont il serait le père. Je crois que ça m'aurait beaucoup plu de me découvrir une portée de demi-frères et de demi-sœurs... Au lieu de ça Maud me tend fièrement une photo où il serre dans ses bras un chiot poilu, de couleur claire et qui lui lèche vigoureusement le visage.

— C'est celui-là que vous auriez dû avoir. Il etait délicieux : intelligent, joueur, un rêve de chien ! Votre père a été très triste quand je lui ai écrit que j'avais dû l'offrir... À qui l'ai-je offert, d'ailleurs ?

Elle se lève pour chercher une cartouche de Chesterfield. Je l'entends se désoler à voix haute de la « mémoire qui s'en va », « du temps qui passe » et de ses soixante-dix ans. Mais toujours avec cette façon détachée qui fait que ses propos, s'ils sont tristes, ne sonnent jamais comme des plaintes ou des récriminations.

Les photos s'étalent sur le canapé et je ne

peux m'empêcher de lire les mots écrits par mon père. Ce sont d'ardents messages qui ressemblent à tous les messages d'amour du monde. Il l'appelle « ma chérie », « mon amour », « ma princesse ». Il l'assure de sa ferveur et de sa fidélité. Il lui promet de l'aimer toujours, de ne jamais l'abandonner.

Une photo de 1940 le représente en jeune officier juste après qu'il a été fait prisonnier par les Allemands. C'est un portrait que mon frère et moi aimons beaucoup. Le mien est coincé dans le cadre du miroir, au-dessus de la cheminée, dans mon petit bureau. Je n'ai qu'à lever la tête pour retrouver ses oreilles décollées, son grand front et son regard effrayé. Il y a dans ce visage amaigri toute la fragilité de la jeunesse et l'effroi de la captivité. Comment, à la libération des camps, en 1944, est-il entré en possession de cette photo faite vraisemblablement par les Allemands reste un mystère que même mon futé de frère n'a, à ce jour, pas su percer...

Sur la photo que détient Maud, il est écrit : « Pourquoi ne m'as-tu pas connu à ce moment-là ? Tu es l'amour et la femme de ma vie. » Et je m'aperçois alors que depuis quelques minutes j'ai le cœur serré et que j'ai presque hâte maintenant de quitter cet appartement et de rejoindre la gare.

Maud tient une nouvelle cigarette dans sa

main aux ongles rouges et soignés. Elle me désigne la bibliothèque.

— Vous avez vu ? J'ai tous vos livres. Ces jours-ci, j'ai relu *Mon beau navire*. Je retrouve complètement Wia dans le personnage du père, au début. Vous l'avez bien rendu. C'est vrai tout ce que vous racontez ? Que vous vous leviez la nuit pour surprendre les adultes au bord de la piscine ? Cette société secrète ? Votre mère travestie en homme et qui joue de l'accordéon ? Votre amour pour le premier lieutenant ?

— C'est un roman.

J'ai répondu avec suffisamment de fermeté pour que Maud renonce à me poser d'autres questions. Je me sens triste. C'est venu brutalement, sans s'annoncer et j'ai peur que cette subite tristesse, dont je ne comprends pas encore l'origine, continue à croître, se développe, me submerge, peut-être. Vite, il faut que je prenne congé de Maud. D'ailleurs il est maintenant l'heure de rejoindre la gare. En coupant par le parc et les jardins, j'en ai pour dix minutes à pied.

— J'ai vu votre frère Pierre à la télévision. Il a les mêmes gestes que Wia, les mêmes mains. Sa barbe m'a troublée... Sans cette barbe, il lui ressemblerait vraiment beaucoup. Vous aussi vous lui ressemblez, mais c'est plus difficile à cerner, c'est diffus... La tendresse de votre regard, peut-être...

180

Machinalement, je rassemble les photos pour les lui rendre. L'une d'elles capte, une dernière fois, mon attention : celle où mon père en maillot de bain tient Maud par les épaules sur une plage dont je ne saurai jamais le nom. Il y a dans ce simple geste tant d'amour, un tel besoin de la prendre et de la protéger. Comme s'il lui disait : « N'aie pas peur, je serai toujours avec toi, tu m'appartiens. » Je relis la déclaration d'amour, au verso. C'est brûlant, sincère et banal. Et c'est la banalité même de ces mots qui me donne soudain envie de pleurer. Je crois commencer à comprendre.

Maud reprend le paquet de photos et s'attarde elle aussi sur celle de la plage.

— Mon Dieu...

Sa voix s'enroue. Je lève mon visage vers elle, surprise par son émotion : la première qu'elle ne cherche pas à dissimuler.

— ... comme nous étions bronzés.

Négligeant son manteau de fourrure, Maud a tenu à m'accompagner jusqu'au pied de l'immeuble. Dans l'ascenseur, je lui demande :

— Et l'*Hymne à l'amour*, vous l'écoutiez souvent ?

— Ne me parlez pas de l'*Hymne à l'amour* ! Votre père l'adorait et tenait à ce qu'on l'écoute des dizaines et des dizaines de fois d'affilée ! Je ne pouvais plus supporter ce disque ! Et puis ces paroles idiotes ! l'*Hymne à l'amour* ? Foutaises ! Mais Wia prétendait que c'était « notre chanson ». Pourquoi cette question ?

— Vous savez, son testament. Quand je vous ai écrit, je l'avais recopié pour vous...

— J'avais oublié.

Le moment est venu de nous séparer. Maud se tient très droite et frissonne dans sa courte robe léopard. Elle est si mince, si fragile que j'ai peur qu'elle ne prenne froid dans les courants d'air du vestibule. Dans sa main tremble une cigarette qui attend d'être allumée.

— Je ne savais pas avant cette journée. Mais avec ce que vous m'avez appris, son pseudo-suicide, le testament, je crois qu'il m'aimait plus que je ne l'aimais. Il était si épris d'absolu, Wia. Peut-être n'aurais-je pas dû le quitter ? Vous pensez que j'ai fait une erreur ? Que j'aurais dû attendre qu'il se libère ? Puisque votre mère acceptait le divorce...

Je n'ai aucune réponse à lui donner mais elle ne remarque pas mon silence.

— À quoi bon refaire l'histoire ? De toute façon toute ma vie est derrière moi, alors...

Nous nous embrassons avec chaleur.

— Merci de m'avoir écrit, d'être venue. Vous m'avez apporté beaucoup de bonheur.

— Merci à vous.

L'espace d'un instant une étincelle de fierté féminine éclaire son visage et la rajeunit.

— Oui, je suis sûre de cela, aujourd'hui : il m'aimait encore plus que je ne l'ai aimé.

Dans le train me reviennent, lancinants, les mots d'amour lus sur les photos ; l'assurance heureuse avec laquelle mon père tient Maud dans ses bras, par les épaules ou par la main. Ces images et ces mots ont la simplicité des chansons d'amour. Des chansons de Piaf. Tout le monde peut se reconnaître dans le couple que forment mon père et Maud. Tout le monde peut s'approprier et faire siennes des chansons comme *La Vie en rose* ou l'*Hymne à l'amour*.

Je me tiens prostrée sur la banquette de ce wagon de seconde classe heureusement presque vide, le nez collé à la vitre. Le paysage défile, éclairé par les derniers rayons du soleil. Je ne pense pas à mon père. J'ai même cessé de m'y intéresser quand ses mots, tout à coup, se sont mis à m'évoquer d'autres mots ; son amour, un autre amour. Ce n'est pas lui que je pleure maintenant mais l'homme qui était toute ma vie et qui est mort, lui aussi, alors que je commençais à écrire ce livre sur mes parents. C'est lui qui me l'avait suggéré. À cause du testament que nous avions lu ensemble et qui l'avait tant emu. J'ai fait ce voyage à Genève pour aller au-devant de mon père et c'est Gérard que je retrouve au bout de ce drôle de chemin. Ou plutôt sa définitive absence. Et j'essaie de me préparer à cette douleur : il ne sera pas gare de Lyon à m'attendre comme chaque fois.

Le T.G.V. arrive gare de Lyon. Il marchait rarement à ma rencontre de peur que nous nous rations. Il m'attendait contre la voiture de tête, très grand, très droit, beau dans sa parka bleu marine. J'aimais le surprendre en premier car j'avais le temps de voir son regard inquiet se transformer ; son visage s'illuminer. J'aimais ce mouvement décidé des épaules qui le propulsait alors à ma rencontre et sa façon passionnée, possessive et tendre de me serrer dans ses bras. Puisqu'il ne sera plus jamais là, pourquoi est-ce que je le cherche encore à droite de la locomotive ?

— Anne !

Mon prénom crié par une voix d'enfant me fige sur place. Un diable blond d'un mètre vingt vole à ma rencontre en me faisant des signes. Il y a dans cette course une telle joie, une telle énergie... Et j'ai cette bizarre et brève impression que c'est la petite Anne de sept ans, celle de La Belotte et des contes de

Perrault dans le lit de Madeleine, qui se jette dans mes bras pour me convaincre que la vie continue.

— On a eu si peur de te rater ! Maman a eu l'idée au dernier moment de venir te chercher. Elle a dit que tu risquais d'être triste, que tu serais contente de nous voir ! T'es contente ?

J'embrasse dix fois les joues roses et veloutées de Rebecca. Elle saute sur place de bonheur, d'excitation et de triomphe : elle et sa mère ont réussi leur surprise. C'est un lutin, un feu follet, une boule de mercure. Elle m'entraîne par la main, parle si vite que je n'arrive pas à tout comprendre. Les gens se retournent sur le passage de cette merveilleuse enfant. Et comme moi, ils attrapent un peu de sa lumière, un peu de cet extraordinaire bonheur de vivre qui émane d'elle et dont elle ignore encore le pouvoir et l'éclat.

DU MÊME AUTEUR

Aux Éditions Gallimard

DES FILLES BIEN ÉLEVÉES.

MON BEAU NAVIRE (« Folio », n° 2292).

MARIMÉ (« Folio », n° 2514).

CANINES (« Folio », n° 2761).

HYMNES À L'AMOUR (« Folio », n° 3036).

UNE POIGNÉE DE GENS, Grand Prix du roman de l'Académie française 1998 (« Folio », n° 3358).

AUX QUATRE COINS DU MONDE (« Folio », n° 3981).

SEPT GARÇONS (« Folio », n° 3981).

JE M'APPELLE ÉLISABETH.

Composition Euronumérique
Impression CPI Bussière
à Saint-Amand (Cher), le 14 décembre 2009.
Dépôt légal : décembre 2009.
1er dépôt légal dans la collection : décembre 1997.
Numéro d'imprimeur : 093615/1.
ISBN 978-2-07-040401-8./Imprimé en France.